FOTOGESCHICHTE

Beiträge zur Geschichte und Ästhetik der Fotografie

Jahrgang 1   1981   Heft 1

Inhalt

D1406558

Nebenstehende Abbildung zeigt die Achterreihe eines Automaten-bildes, das um 1929 mit Photomaton entstand. (vgl. dazu den Bei-trag S. 60).

FOTOGESCHICHTE erscheint 1981 zweimal, ab 1982 viertel-jährlich. Jahresabonnement 1981: DM 50,–, ab 1982: DM 100,–. Einzelpreis DM 32,–. Preise für Inland inkl. Porto und Mehrwert-steuer. Preise für Ausland zuzüglich Porto. Zahlbar nur in DM. Konto: Antiquariat Timm Starl, Postscheckamt Frankfurt am Main (BLZ 50010060) Konto-Nr. 3947–601.

Herausgeber und Verleger: Timm Starl. Gestaltung: Dieter Reifarth und Timm Starl. Verlagsanschrift: D-6000 Frankfurt 1, Fichard-straße 52. Druck: Wolfgang Biermann, 6374 Steinbach/Taunus.

Editorial

Die Beschäftigung mit der alten Fotografie war lange Jahre durch jene Sammler geprägt, deren Leidenschaft sich im Erwerb einer seltenen Kamera erschöpfte. Doch das Interesse an der Fotografie hat sich ebenso gewandelt wie deren historische Aufarbeitung. War Eders "Geschichte der Photographie" noch überwiegend eine Geschichte der Erfindungen, eröffnete Stenger den Blick auf die Anwendungsgebiete und Gernsheim verwies auf die ästhetischen Momente in den Bildern. Mit der Nennung jener Fotohistoriker soll nun nicht die Herausgabe einer fotogeschichtlichen Publikation legitimiert oder gar deren Nachfolge beschworen werden. Vielmehr ist auf den Verlust hinzuweisen, der durch den Bruch mit traditionellen Arbeitsweisen und der Art der Beschäftigung mit fotografischen Themen entstand. Die Rede ist von jenem "Fotomarkt", der die alten Fotografien zum Handelsobjekt degradierte und die Sicht auf deren Inhalt, die Objekte der Fotografie, verstellte. Dagegen lenkte die Ware Fotografie das Interesse auf prominente Fotografen, kuriose Sujets und Fragen wie Erstabzug und Erhaltung. Allein an der stereotypen Publizierung immer wieder derselben Bilder berühmter Autoren sind die ökonomischen Interessen der Galeristen, Händler und Verleger ablesbar. Bücher und Ausstellungen degenerieren zur bloßen Aneinanderreihung von Bildern, meist ohne ausreichende textliche Begleitung. Wichtiger ist der Leihgebervermerk in den Katalogen und Büchern. Das Publikum steht ratlos vor der Flut der Fotografien, die weniger Betroffenheit erzeugen als ihre Auktionsergebnisse. Wenn auch aus der Fülle des in den letzten Jahren vorgelegten Materials verwertbare Informationen geschöpft werden konnten, so mehren sich in jüngster Zeit Beiträge, die den ohnehin bekannten Fotografen in anders formulierten Superlativen zu beschreiben suchen. Beklemmend dabei die Artistik, mit der immer neue Theorien zur Ästhetik der Fotografie und einzelnen Arbeiten verkündet werden – jedes Vorwort zu einer Bildsammlung oder in einem Katalog dient als Schauplatz solcher, als kunsttheoretische Anmerkungen verbrämter Verkaufsargumente. Von den wenigen, meist jüngeren Kunsthistorikern abgesehen, die in den letzten Jahren mit kritischen Beiträgen neue Aspekte zur Geschichte und Ästhetik der Fotografie beleuchtet haben, hat doch der fortschreitende Prozeß der Vermarktung viele andere Interessierte unterschiedlicher Provenienz ergriffen, die das neu entdeckte Medium als Arbeitsfeld auserkoren haben und zu erklären suchen. Dabei dient das Verhältnis von Malerei und Fotografie – seit ihrer Erfindung gängiges Thema – als Vorwand für neu formulierte ästhetische Interpretationen.

Diesen Tendenzen will die Zeitschrift FOTOGESCHICHTE entgegenwirken. Denn der Mangel an Informationen hat schon bedeutendere Interpreten zu irrigen Schlüssen verleitet. Bekannt ist Benjamins Bewertung der Atelierfotografie nach 1860, die in Unkenntnis der Menge und Qualität der Fotografien entstand und trotzdem permanent repetiert wird, obwohl die Bilder heute vorliegen und weitgehend zugänglich sind. Es geht darum, das Material aufzuarbeiten in jenem ursprünglichen Sinn, der die akribische Suche nach Daten vor die Bewertung einzelner Fotos stellt. Dies ist kein Plädoyer für eine rein empirische Arbeitsweise. Zu bedenken ist aber jene große Zahl von Fotografen, von denen zwar einzelne und auch wichtige Arbeiten bekannt sind, die wir jedoch als Menschen nicht kennen, über ihre Umwelt, den Arbeitsprozeß, die Entstehung der Fotos nur wenig wissen. Dies kann aber auch nicht zu einer einseitigen, monografisch orientierten Beschäftigung mit den Bildautoren führen, über die man bloß zu individualistisch geprägten Auffassungen gelangen muß. Zu berücksichtigen ist das Umfeld, die Umgebung des Fotografen, oder besser: die Objekte seines fotografischen Interesses, die Menschen und Maschinen, die Kunstwerke und die Landschaft; sie bilden jene Kriterien, die uns interessieren müssen, damit wir die Bilder verstehen lernen. Über das Leben der Zeitgenossen, deren Arbeitsverhältnisse, ihre Städte und Wohnungen, ihre Freizeitbeschäftigungen und mehr möchten wir etwas wissen. Denn der Wert der fotografischen Information kann nur in den Erfahrungen liegen, die sie uns mitteilt. Die ästhetischen Kategorien mögen wohl die besseren oder schlechteren Vermittler sein. Doch zunächst ist erst ausreichend Quantität zu ermitteln, bevor neue Qualitäten zu entdecken sind. Im Vordergrund steht nicht eine Chronik bekannter künstlerischer Leistungen und Ambitionen und deren Bewertung, sondern die Hinwendung zum eigentlichen Wesen der Fotografie, die eine Sozialisierung des Bildes bewirkte und so Grundlage für das Verständnis vergangener Zeiträume und das Leben der Menschen bildet. Die Möglichkeit der Erkenntnis geschichtlicher Vorgänge muß vor der Absicht stehen, neue Kunstbegriffe der Fotografie zu prägen oder alte immer wieder zu bearbeiten. Denn die alleinige ästhetische Kategorisierung fördert lediglich die Illusion einer Objektivität, deren Spuren es in den Bildinhalten zu ermitteln gilt.

Schwerpunkt dieses und der folgenden Hefte werden Beiträge zur Fotogeschichte in Deutschland, Österreich und der Schweiz sein. Das vorliegende Heft deutet inhaltlich und zeitlich den Radius an, innerhalb dessen weitergearbeitet werden soll.

Ich möchte mich bei meiner Familie, allen Autoren dieses Heftes, bei Herbert Molderings, Dieter Reifarth und Walter Schobert sehr herzlich für ihre Unterstützung bei der Projektierung bedanken. Ihnen widme ich dieses Heft.

Timm Starl

Helmut Richter

Topographische Fotografie in Erlangen 1839 – 1914

Abb. 1. Erlangen, Gesamtansicht von der Nordseite; nach einer Daguerreotypie von Georg Jacob Gattineau, lithographiert bei W. Becker in Mainz, Verlag Theodor Blaesing in Erlangen. Nach einem alten Besitzervermerk auf dem Blatt angeblich 1848. 12 : 23,6 cm. (Stadtarchiv Erlangen VI.A.a.28).

Am 7. Januar 1839 berichtete der Chemiker Dominique François Arago zum ersten Mal vor der Akademie der Wissenschaft in Paris von einem neuen Verfahren, das Jacques Louis Mandé Daguerre entwickelt hatte, um in der Camera obscura belichtete Bilder dauerhaft zu fixieren. Damit hatte die Geburtsstunde der Fotografie geschlagen, auch wenn es sich bis zur endgültigen Veröffentlichung des Verfahrens in einer gemeinsamen Sitzung der Akademie der Wissenschaften und der der schönen Künste im August des selben Jahres herausstellte, daß es noch mehrere Geburtshelfer gab.

Fotografiegeschichtlich am bedeutendsten war wohl die etwa gleichzeitig gemachte Erfindung des Engländers Henry Fox Talbot, von lichtempfindlich gemachtem Papier ein Negativ herzustellen, von dem Papierpositive gewonnen werden konnten. Mit dem Problem, durch den Lichteinfall geschaffene Bilder dauerhaft festzuhalten, beschäftigten sich zur gleichen

Zeit im deutschen Sprachraum eine Reihe von technisch interessierten Leuten (1). Das Verfahren Daguerres setzte sich durch und wurde ziemlich schnell in den folgenden Jahren verbreitet. Aufgegriffen wurde es zunächst in den Zentren der damaligen Zeit: in München, Wien, Berlin und Hamburg (2).

Die ersten Fotografen in Erlangen

Bis die neue Erfindung auch in kleineren Städten vorgestellt und gar aufgegriffen wurde, verging in der Regel ein halbes Dezennium. So auch in Erlangen. Am 4.9.1843 annonciert der Nürnberger Daguerreotypist (so dürfen wir ihn wohl nennen, auch wenn er in den Nürnberger Adreßbüchern nur als Mechanikus und Drechsler, gelegentlich auch als Optiker erscheint) Johann Jakob Heller seinen Aufenthalt in einer Gartenwirtschaft vor dem Südtor der Stadt zum Fertigen von Daguerreotyp-Porträts. Er scheint mit diesem Angebot in eine Bedarfslücke gestoßen zu sein, denn er muß seinen Aufenthalt in Erlangen verlängern, während der kurz nach ihm eintreffende Joseph Correvont, aus einer Badersfamilie in Wallerstein stammend, deren andere Angehörige zumindest am Anfang erfolgreich ihr Metier in München betreiben, trotz seiner reisserischen Annoncen nur vier Tage in Erlangen bleiben kann.

Diesen ersten beiden Vertretern der neuen Kunst folgen in den nächsten Jahren noch andere. So finden wir im Frühjahr 1844 für gut drei Wochen die Gebrüder Konrad und Leonhard Kuhn aus Fürth in Erlangen beschäftigt, die im gleichen Jahr auch noch in Würzburg arbeiten. Obwohl geborener Erlanger (geb. Erlangen-Neustadt 20.12.1816) ist auch Wilhelm Breuning eher bei den Reisefotografen anzuführen. Nach Gymnasiumsbesuch in Erlangen 1825–1829, der ohne Abschluß beendet wird, arbeitet er zunächst als Schauspieler und läßt sich 1844 in Hamburg als Fotograf nieder. Im Zuge der Auflösung des väterlichen Haushaltes arbeitet er 1845 für einige Wochen in Erlangen, die aber noch durch eine Reise unterbrochen werden. 1846 wird er Bürger in Hamburg, wo er bis zu seinem Tod 1872 ein frequentiertes Atelier betreibt, das seine Witwe weiterführt. Auch der am 25.4.1821 in Erlangen geborene Johann Christoph Bretting arbeitet nur sieben Jahre, die sicherlich auch von Reisen unterbrochen wurden, in seiner Vaterstadt, ehe er 1854 nach München verzieht.

All diesen Fotografen der Frühzeit ist eines gemeinsam: sie legen das Hauptgewicht ihrer Tätigkeit auf die Porträtfotografie. Dies geht ebenso aus den Anzeigen im Intelligenzblatt der Stadt Erlangen (Bretting annonciert z.B. am 19.10.1848 Porträts vom kleinsten Format für Busennadeln und Broschen bis zu solchen von 7 Zoll Höhe), aus Selbstaussagen von Fotografen (Niederlassungsgesuch des Konrad Kuhn in Fürth 12.1.1846: "... haben wir es in dieser Kunst so weit gebracht, daß wir Lichtbilder, sowohl einzelner Personen als ganzer Familiengruppen, und diese selbst von kleinen unruhigen Kindern zusammengestellt von so deutlicher und vollkommener Zeichnung und Ausdruck selbst mit Kolorierung in größter Schnelligkeit zu liefern vermögen") wie aus dem Bestand von Arbeiten (3) hervor. Es entspricht offensichtlich auch den Erwartungen des Publikums.

Trotzdem lohnt es sich, der Beschäftigung mit topographischer Fotografie nachzugehen, denn bis zum Ende des Jahrhunderts wird sie in stetig zunehmendem Maße gefertigt – und das bedeutet ja auch: abgesetzt. Der Produktion und der Verwendung am Beispiel Erlangens nachzugehen, ist die Absicht der folgenden Zeilen.

Frühe Stadtbilder: Daguerreotypie und Lithographie

Voraussetzung für die Produktion war offensichtlich die dauernde Niederlassung an einem Ort als Fotograf, die es ermöglichte, in Zeiten schwachen Geschäfts auch Aufnahmen in der Stadt oder in der Landschaft zu machen. Hauptproduktion blieb aber nach wie vor die Schaffung von Porträts.

Abb. 2. Georg Jacob Gattineau: Selbstbildnis. Das Porträt wurde von Nachkommen des Fotografen dem Stadtarchiv Erlangen überlassen. Obwohl nicht bezeichnet, dürfte es den ersten in Erlangen ansässigen Fotografen darstellen. Kolorierte Talbotypie, um 1846, 18 : 14,9 cm, Original montiert. (Stadtarchiv Erlangen V.C.b.1215).

Als ersten Fotografen, in dessen Oeuvre sich eine Daguerreotypie mit einer Aufnahme der Stadt Erlangen vom nördlich von ihr liegenden Burgberg nachweisen läßt, können wir den ersten auf Dauer in Erlangen lebenden Fotografen Georg Jacob Gattineau nennen (Abb. 2). Er wurde am 23.4.1810 in Erlangen-Altstadt als Sohn des Strumpfwirkermeisters und Examinators Friedrich Gattineau geboren, heiratete am 21.7.1834 in Erlangen-Neustadt Johanna Friederike Karoline Kunigunde Heim und ließ sich 1842 in der Neuen Straße Nr. 14 nieder. Damals hatte er allerdings noch nicht den Beruf des Fotografen, sondern er war Flaschnermeister (= Spengler). Was ihn dazu bewog, sich ab März 1846 dem "hochverehrten Publikum Erlangens" auch als Daguerreotypist vorzustellen, wissen wir nicht; immerhin ist es bemerkenswert, daß unter den Paten seiner Kinder 1845 eine Optikerstochter auftaucht. Gattineau unterscheidet sich wenig von den Fotografen, die vor ihm in Erlangen waren. Auch er ist im Grund ständig

Abb. 3. Heinrich Memmert: Blick von Norden auf Erlangen. Hierbei handelt es sich um das älteste erhaltene Foto von Erlangen. Durch die Widmung auf der Rückseite "Zum Andenken an den Aufenthalt in Erlangen im Juni 1869 von Deinem Cousin August Wunderer" und dem nicht mehr vorhandenen Bayreuther Tor im Straßenzug am rechten Bildrand läßt sich das Foto zwischen Mai 1865 und Juni 1869 datieren. Visitformat. (Stadtarchiv Erlangen VI.A.b.229 b).

auf Reisen. 1847 arbeitet er mit viel Erfolg in Bamberg, 1848 ist er u.a. in Nürnberg, 1849 ist er mindestens drei Monate nicht in Erlangen, 1857 und 1858 finden wir ihn wieder in Bamberg und schließlich ist er 1860/61 ein knappes Jahr Geschäftsführer des Ateliers Stelzner in Hamburg. 1861 arbeitet er noch in Würzburg, wo er 1863 die Lizenz als Fotograf erhält. Im gleichen Jahr übergibt er sein Erlanger Geschäft an seinen Schwiegersohn Heinrich Memmert. Ähnlich macht er es 1866 in Würzburg, wo das Atelier von seinem Sohn Johann Georg Martin weitergeführt wird. Er selbst betreibt seit diesem Jahr mit seinem Sohn Franz ein Atelier in Coburg, wo er aber bereits früher tätig gewesen sein muß, denn schon 1864 erhält er den Titel eines herzoglich sachsen-coburgischen Hoffotografen. In Coburg stirbt er am 18.3.1888.

Es ist also noch die für die Frühzeit der Fotografie typische Reiseexistenz, gemildert durch einen bürgerlichen Beruf – auf den Gattineau in flauen Zeiten gelegentlich zurückgreift (4) – und ein eigenes Anwesen in Erlangen. Diesen Umständen haben wir es sicherlich mit zu verdanken, daß von Gattineaus Hand die erste auf fotografischem Wege gewonnene Stadtansicht Erlangens geschaffen wurde (Abb. 1). Gegen Ende der 40er Jahre des vorigen Jahrhunderts schuf er eine Daguerreotypie mit einer Gesamtansicht Erlangens von Norden, die vom Burgberg aus aufgenommen wurde (5). Die Daguerreotypie hat sich nicht erhalten; doch wurde sie als Lithographie von der Lithographischen Anstalt von W. Becker in Mainz vervielfältigt und im Verlag von Theodor Blaesing in Erlangen verbreitet. Offensichtlich bestand eine größere Nachfrage nach dem Blatt, denn es wurde in etwas veränderter Fassung noch einmal auf den Markt gebracht.

Allein diese Editionsform macht uns das Dilemma der frühen topographischen Aufnahme deutlich. Die Daguerreotypie lieferte eine einzelne Ansicht, ein Unikat. Sollte sie einen größeren Interessentenkreis befriedigen, mußten auf dem traditionellen graphischen Wege mittels Lithographie oder Stahlstich Vervielfältigungen hergestellt werden. So ist es nicht verwunderlich, daß das Blatt auch ganz in der Tradition dieser Ansichtsgraphiken steht. Standortwahl und Bildauffassung (Identifikationspunkte durch die hohen Gebäude) lassen sich nahtlos in die Tradition graphischer Blätter des 19. Jahrhunderts einreihen, von Gustav Kraus' Lithographie aus der Mitte der 20er Jahre bis zu den Stahlstichen des Bibliographischen Instituts. Inwieweit die Vorlage, Gattineaus Daguerreotypie, davon abgewichen ist, läßt sich heute nicht mehr beurteilen.

Erinnerungsfotos und Serien

Gattineau hatte bereits 1853 das nasse Kollodiumverfahren verwendet. Ob er damit noch einmal versucht hat, eine Fotografie von Erlangen herzustellen, entzieht sich unserer Kenntnis. Auffallend ist jedoch, daß sein Nachfolger und Schwiegersohn Heinrich Christoph Ferdinand Memmert (geb. Erlangen 1.8.1841) die erste erhaltene fotografische Ansicht Erlangens geschaffen hat, die von einem vergleichbaren Standpunkt am Burgberg aus gemacht worden ist. Es handelt sich um ein Foto im Visitformat (Abb. 3), dessen Entstehungszeit sich auf die Jahre zwischen 1865 und 1869 eingrenzen läßt. Auch hier wird wieder eine Gesamtansicht der Stadt von einem erhöhten Standpunkt aus gegeben. Sie ist technisch nicht von großer Brillanz; schon der Vordergrund ist nicht besonders scharf, und Mittel- und Hintergrund verschwimmen immer mehr und gehen ineinander über. An Detailreichtum ist sie Gattineaus Lithographie eindeutig unterlegen. Sie ist trotzdem für die Entwicklung der topographischen Fotografie in Erlangen wichtig – und das nicht nur auf Grund der Tatsache, das es das erste erhaltene Bild ist.

Die 1858 von dem Franzosen Disdéri erfundene Fotografie im Visitformat war der entscheidende Schritt für eine Popularisierung der Fotografie. Die Fotos wurden jetzt in Serie hergestellt; sie wurden alltäglich und eben auch im Alltag benutzt. Das kam naturgemäß in erster Linie wieder bei den Porträts zum Tragen. Unser Bild des Fotografen Georg Dassler (Abb. 14) ist ein schöner Beleg für die Verwendung als

5

Abb. 5. Anonym: Blick von Norden auf Erlangen. Um 1880, Visitformat.

Abb. 4. Anonym: Blick auf die Hugenottenkirche von Osten. Um 1880, Visitformat.

Die Abbildungen 4, 5, 6 sind Beleg für die zunehmende Beliebtheit des Erinnerungsbildes im Visitformat. Sie fanden sich in einer Serie von Fotos von Erlangen, die neben Serien von München, Coburg und dem Salzkammergut in einem Album mit Ortsbildern, das das Stadtarchiv erwerben konnte, enthalten waren. (Stadtarchiv Erlangen VI. Z.Z.b.1/58, 63, 65).

Abb. 6. Anonym: Blick auf den Bahnhof von Südosten. Serie "Deutsche Universitätsstädte", Foto und Verlag von S.P. Christmann Berlin – Paris Nr. 1188. Um 1880, Visitformat.

Visitenkarte. Bei den Erlanger Studenten entwickelten sich seit den 50er Jahren des 19. Jahrhunderts Sonderformen der Verwendung. Es wurde üblich, seinen Freunden Erinnerungsbilder an die gemeinsam verbrachte Studienzeit zu widmen; das gleiche tat man in seiner Verbindung. Die Aufnahme von Heinrich Memmert ist – dank der Widmung auf der Rückseite – ein Beleg dafür, daß dieser Brauch sich nicht auf Porträts beschränkte, sondern auch dem topographischen Foto zugute kam.

Im Werk Memmerts ist dieses Bild noch ein Einzelfall in einer im gesamten doch von Porträts bestimmten Produktion, die bei der Konkurrenz von zwei florierenden Ateliers (Dassler und Heintz) anscheinend mehr und mehr zurückging. Jedenfalls finden wir Memmert seit 1883 als Lederhändler in Erlangen, ehe er 1893 nach Burgsalach bei Weißenburg verzog, wo er 1894 starb.

Im folgenden Jahrzehnt zwischen 1870 und 1880 ist auf dem Gebiet der topographischen Aufnahme im Visitformat eine bestimmte Massierungserscheinung zu beobachten. Man machte nicht mehr einzelne Bilder, sondern man stellte sie zu Serien zusammen (Abb. 4, 5, 6). Hand in Hand damit geht die Produktion auswärtiger Firmen, die sich, vielleicht mit Reisefotografen, auf die Erfassung und Vermarktung solcher topographischer Aufnahmen spezialisiert haben. Erinnerungsbilder waren es immer noch, die auf diese Weise hergestellt wurden; freilich nicht mehr solche persönlicher Art anläßlich eines gemeinsamen Aufenthaltes oder Besuches (da genügte ein einzelnes Bild, das man einem Freund widmete), sondern Bilder zur eigenen Erinnerung, wo man die wichtigsten Ansichten eines Ortes oder einer Gegend bei sich haben und vorzeigen wollte. Leider gestatten die im Stadtarchiv Erlangen erhaltenen Beispiele keinen Aufschluß über

Abb. 7. Anonym: Der Erlanger Bahnhof von Nordosten; Verlag Hahn und Kirchgeorg, Nürnberg. Auch in Erlangen ersetzt in der Zeit um 1890 das auf festen Karton aufgezogene Foto im Cabinetformat das Erinnerungsbild im Visitformat. Es wird damit zum Vorläufer der Ansichtskarte. Die von Hahn und Kirchgeorg selbst produzierten Fotos werden später von der Firma Ernst Roepke in Wiesbaden verlegt. 1890, Cabinetformat. (Stadtarchiv Erlangen VI.Z.b.174).

die Motivauswahl, da sich die Serien nicht mehr komplett zusammenstellen lassen. Die eine Serie (Abb. 4, 5), von einem anonymen, eventuell einheimischen Fotografen hergestellt, läßt ihren Zusammenhang erkennen durch den einheitlichen gelben Karton, auf den die Abzüge ohne gedruckten Rahmen montiert sind (mehrere Bilder aus dieser Serie sind aus anderen Provenienzen ins Stadtarchiv gelangt), die andere von dem Berliner Verlag S.P. Christmann wird schon durch den Aufdruck in einen größeren Rahmen gestellt.

Eine Wiederholung dieses Phänomens läßt sich mit dem zunehmenden Aufkommen des Cabinetformates in Erlangen in den Jahren ab 1890 beobachten. Kennzeichen ist, daß auch hier nahezu ausschließlich eine Aktivität auswärtiger Firmen zu beobachten ist. Begonnen hat im Jahr 1890 die 1889 gegründete Firma Hahn und Kirchgeorg in Nürnberg. Sie vertrieb Schwarz-weiß-Aufnahmen von Erlangen (Abb. 7), auf Karton aufgezogen mit gedruckter Umrahmung, die neben einer Gesamtansicht von Norden einzelne Straßenpartien und wichtige Gebäude enthielt. Die Firma scheint das Verlagsgeschäft schon bald abgegeben zu haben, denn bereits 1892 findet man ihre Aufnahmen, nun als Lichtdrucke, teilweise koloriert und in sehr dekorativer Weise auf schwarzen Karton gezogen, von dem Wies-

badener Verlag Ernst Roepke vertrieben. Ob diese Firma selbst den übernommenen Bildbestand ausgebaut hat oder weiterhin von Hahn und Kirchgeorg in Erlangen fotografieren ließ, entzieht sich unserer Kenntnis; jedenfalls ist auffällig, daß die in dem Jahrzehnt zwischen 1890 und 1900 erbauten neuen Universitätsinstitute wie das Physikalische Institut oder die Augenklinik sich in den Serien finden. Zur gleichen Zeit hat auch noch die Firma Heinrich Lautz in Darmstadt eine Serie über Erlangen produziert (Abb. 8, 9).

Eine andere Form der Serienproduktion kam in Erlangen nie richtig zur Blüte: die Stereofotografie. Erlanger Ansichten in dieser Technik sind erhalten, leider sind es nur wenige; der Fotograf ist nie genannt und konnte bisher auch nicht ermittelt werden. Zwei Ansichten aus der Fränkischen Schweiz konnte das Stadtarchiv vor kurzem ankaufen. Sie stammen von dem Fotografen Martin Riederer (geb. Passau 6.2.1839), der nach vier Jahren Fotografentätigkeit in Schweinfurt von 1885 bis 1893 das Gewerbe in Erlangen ausübte – unterbrochen von einer zweijährigen Tätigkeit als Gastwirt –, dann ging er in Würzburg bei dem Fotografen Greul in Kondition. Die Aufnahmen sind Durchschnittsproduktion; sie sollen hier nur der Vollständigkeit halber erwähnt werden.

Abb. 8.   Anonym: Blick vom Schloßplatz durch die Hauptstraße nach Norden; Verlag Georg Lautz, Darmstadt, Nr. 3638. Der Verlag Lautz in Darmstadt gab ebenfalls eine umfangreiche Serie mit Erlanger Ansichten, vor allem von Universitäts-Instituten, heraus. Lichtdruck, 1895, Cabinetformat. (Stadtarchiv Erlangen VI.Z.b.726).

Abb. 9.   Anonym: Blick des Physikalischen Instituts in der Glückstraße; Verlag Lautz, Darmstadt, Nr. 3641. Typische Ansicht eines der in den 90er Jahren gebauten Universitäts-Institute. Das Physikalische Institut wurde 1892–94 errichtet. Lichtdruck, 1896, Cabinetformat. (Stadtarchiv Erlangen VI.Z.b.176).

Abb. 10. Christoph Müller, Nürnberg: "Panorama von Erlangen", Blick von Norden. Die Aufnahme verdeutlicht die Abbildung 3. Sie ist mit zwei Platten gemacht worden, die sorgfältig aneinandergepaßt worden sind. Um 1870–1880, 18,5 : 37 cm. (Stadtarchiv Erlangen VI.A.b.31).

Auswärtige Fotografen:
Christoph Müller und Ferdinand Schmidt

In der Verfolgung des Phänomens der Entwicklung vom Einzelfoto zur Serienproduktion sind wir in der zeitlichen Abfolge weiter vorgedrungen, als es uns eine genaue Schilderung der Chronologie eigentlich erlaubt hätte. Denn auch in dieser Zeit sind Einzelfotos entstanden, die in einer Geschichte der topographischen Fotografie in Erlangen nicht fehlen dürfen.

Zu erwähnen wäre hier in erster Linie ein Panorama von Erlangen, das der Nürnberger Fotograf Christoph Müller in den Jahren zwischen 1870 und 1880 gefertigt haben muß (Abb. 10). Zeitlich läßt es sich nicht genau fixieren. Es ist ein großes Bild, das von zwei Platten gemacht wurde. Die Sorgfalt beim Aneinanderpassen der beiden Aufnahmen ist auch heute noch beim genauen Betrachten zu spüren. Selbstverständlich ist es in der Tradition der auf graphischem oder fotografischem Wege gewonnenen Gesamtansichten angesiedelt. Es ist vom Burgberg her aufgenommen. Über die Gärten der Vorstadt Essenbach, in denen zusammengestellte Bohnenstangen fast wie die Stange mit dem Zielvogel der Altstädter Schützen wirken, die am Fuße des Burgbergs ihre Schießstätten hatten, – was uns aus einem Kupferstich vom Anfang des Jahrhunderts überliefert ist –, schweift der Blick über die Häuserzeilen und -karrees der Stadt im Mittelgrund zu den sich im Sebalder Reichswald langsam erhebenden Höhen, über denen am Horizont die Nürnberger Burg aufragt. Leider ist eine zeitlich genaue Einordnung noch nicht vorgenommen worden, die anhand der Baudaten einzelner Häuser vielleicht möglich wäre. Auch durch Geschäftsdaten Müllers ist das nicht möglich; seit 1860 ist er in Nürnberg als Fotograf gemeldet. Festzuhalten bleibt jedoch der Trend, den wir schon bei der Serienproduktion kennengelernt haben, daß nämlich am lokalen Markt auch auswärtige Fotografen tätig werden.

Ganz besonders trifft dies für den Fotografen zu, von dem im folgenden die Rede sein wird, den Nürnberger Ferdinand Schmidt (6). Er übernahm nach dem Tode seines Vaters Georg Schmidt dessen Atelier in der Burgstraße und nahm dank eines fahrbaren Labors, das ihm die Präparierung und Behandlung der belichteten Platten vor Ort ermöglichte, die Nürnberger Innenstadt auf. Noch heute sind diese Aufnahmen der Kern der Bildstelle des Hauptamtes für Hochbauwesen der Stadt Nürnberg.

Als sein Absatzmarkt in Nürnberg fürs erste erschöpft war, verlagerte er seine Tätigkeit in die be-

Abb. 11. Ferdinand Schmidt, Nürnberg: Haus Hauptstraße 40a, Ecke Wasserturmstraße (ehemaliges Palais von Seckendorf). Das Foto zeigt die typische Manier Schmidts, Geschäfte und Bewohner zusammen aufzunehmen. Dabei gelangen ihm ausgezeichnete Aufnahmen der Stadttopographie. Um 1875–1885, Reprofoto. (Stadtarchiv Erlangen VI.M.b.826; Original in Privatbesitz).

Abb. 12. Ferdinand, Schmidt, Nürnberg: Das Erlanger Rathaus, Marktplatz 1. Auch bei der Verwaltung handelt der Fotograf nicht anders: er läßt das Rathaus mit Beamten bevölkern. Im Vordergrund ein von der Polizei abgeführter Verbrecher. Um 1885, 20 : 24,1 cm. (Stadtarchiv Erlangen VI.K.b.3).

nachbarten Städte. So kommt es, daß wir von ihm auch eine Reihe beeindruckender Fotos aus den Jahren 1875 – 1880 aus Erlangen haben (Abb. 11).

Schmidt ging es dabei offensichtlich nicht um Gesamtaufnahmen der Stadt oder um Bilder von herausragenden Baulichkeiten, wie wir sie als Grundkonzept bei den Herstellern der Serien im Visit- und Cabinetformat vermuten können. Er griff sich einzelne Firmen und Betriebe heraus, stellte die Belegschaft vor dem Haus und/oder an den Fenstern auf und lichtete sie dann ab. So schaffte er sich gezielt einen bestimmten Abnehmerkreis für jedes Foto, denn er konnte darauf hoffen, daß manch einer der Fotografierten das Bild, das ihn in seiner Arbeitswelt zeigte, auch abnahm. Daß uns heute das Gebäude, vor und in dem er die Bewohner oder Beschäftigten abbildete, genauso interessant ist, wie es den damals Beteiligten ihre genaue Wiedergabe war, konnte er noch nicht ahnen. Jedenfalls verdanken wir seinen sicherlich marktorientierten Bestrebungen eine Reihe von topographischen Aufnahmen in der Stadt, die auch heute noch unser Gefühl für das ursprüngliche Aussehen der Innenstadt zu schärfen vermögen. Dabei war er nicht auf Häuser und Belegschaften fixiert. Genauso nahm er auch Denkmäler auf und vertrieb diese Aufnahmen – auf dunklem Karton mit Goldbordürenrahmung des eigentlichen Fotos, die seine Produkte

auch heute noch in der reichen Fotosammlung des Stadtarchivs auf Anhieb erkennen lassen. Bei größeren Projekten, wie etwa der damaligen Erich-Brauerei, schuf er sogar eigene Montierungen für eine Gesamtdarstellung in fünf Aufnahmen des damals bedeutenden Industrieunternehmens (7). Es gelang ihm sogar, die Stadtverwaltung im damaligen Rathaus am Marktplatz zu einem solchen Arrangement zusammen zu bekommen (Abb. 12).

Hoffotograf: Georg Heintz

Der nächste bedeutende Fotograf nach Gattineau in Erlangen war Georg Heintz. Er wurde in Ansbach am 31.8.1823 geboren und ist seit 1851 in Erlangen nachweisbar. 1876 erhält er den Titel eines Hoffotografen des deutschen Kronprinzen; diese Tatsache allein zeigt, daß sein Gebiet in erster Linie die Porträtfotografie war. Er betrieb sein Atelier zusammen mit seinem Bruder Karl (geb. Ansbach 16.12.1825); wem der jeweilige Anteil am fotografischen Schaffen zuzuweisen ist, läßt sich wohl kaum mehr genau bestimmen. Beide Brüder kamen von der Malerei; eine Reihe gemalter Porträts sind im Bestand des Stadtmuseums von Erlangen erhalten; topographische Aufnahmen haben sie wohl selten gefertigt. Um so bemerkenswerter ist eine Aufnahme, die durch Angabe des Hoffotografentitels eindeutig Georg Heintz zugeschrieben werden kann. Sie zeigt die südliche Seite der heutigen Calvinstraße mit einem Durchblick in die Untere Karlstraße, den der Bau des Gymnasiums begrenzt. Eine gewisse Monumentalität ist unverkennbar; man ist geneigt, manche der um diese Zeit entstandenen Fotografien, die anonym erscheinen, auch den beiden Brüdern zuzurechnen. Unter ihren Namen sind im Stadtarchiv nur vier Aufnahmen erhalten, darunter zwei Innenaufnahmen in der Neustädter Kirche; die Bedeutung ihrer topographischen Fotos läßt sich nur schwer gegenüber den Porträts, auf denen das Hauptgewicht der Tätigkeit lag, abgrenzen.

Die Produktion von Ansichtspostkarten

Noch einmal müssen wir Ferdinand Schmidt erwähnen, wenn wir die Geschichte der Ortsaufnahmen bis hin zum ersten Weltkrieg in Erlangen verfolgen. Diesmal hat sich aber Motiv und Abnehmerkreis seiner Aufnahmen gewandelt. Es geht jetzt nicht mehr um die Erfassung einzelner Häuser und ihrer Bewohner; es werden Übersichtsaufnahmen gefertigt, die dann als Ansichtspostkarten vermarktet und abgesetzt werden. Kennzeichnend dafür ist die Aufnahme, die sich in der Bildstelle des Hauptamtes für Hochbauwesen der Stadt Nürnberg erhalten hat und die auch als Ansichtskarte des Verlages Hermann Martin in Nürn-

berg überliefert ist (Abb. 13). Sie zeigt den Bahnübergang im Verlauf der Brucker Straße und das Gelände des Bahnhofes, an dem Eisenbahnfreunde vor allem die Wiedergabe der beiden Züge im Hintergrund interessiert – es handelt sich um die beiden Sekundärbahnen nach Herzogenaurach und nach Gräfenberg – vor dem Dächermeer der Stadt. Die Aufnahme muß vom Turm der Neustädter Friedhofskirche gemacht worden sein; der Aufnahmezeitraum läßt sich durch die Baudaten der abgebildeten Häuser sowie durch die Jahresangabe auf der Ansichtskarte ziemlich genau mit 1898/1899 angeben. Damit eröffnet sich ein tiefer Einblick in die Schmidt'sche Produktion. Noch eine weitere Aufnahme ist als Foto und als Ansichtskarte erhalten; bezeichnenderweise folgt sie der alten Bildtradition: es ist eine Gesamtaufnahme der Stadt vom Burgberg. Sieht man die umfängliche Produktion des Verlages Martin nach Aufnahmen durch, die die gleiche Bildauffassung verraten, so lassen sich noch eine ganze Reihe von Bildern für Ferdinand Schmidt wahrscheinlich machen, auch wenn die Platte oder ein Originalfoto nicht mehr nachzuweisen ist. Ferdinand Schmidt ist damit für die Entwicklung der topographischen Aufnahme in Erlangen von erheblicher Bedeutung. Wir verdanken ihm nicht nur eine Reihe von Aufnahmen privater Gebäude aus den 70er Jahren, die in den gleichzeitigen Serienfotografien der offiziellen Gebäude sicherlich nicht erschienen wären, er hat mit der Übersetzung seiner Aufnahmen in das verhältnismäßig junge Medium der Ansichtspostkarte auch einen Weg gewiesen, auf dem ihm einige Erlanger Fotografen gefolgt sind.

Abb. 13. Ferdinand Schmidt: Blick auf den Bahnhof und den Übergang in die Brucker Straße. Auf dem Bahngelände stehen die beiden Sekundärbahnen nach Herzogenaurach und Gräfenberg abfahrtsbereit. Um 1897–1899, 21,2 : 27,7 cm. (Hauptamt für Hochbauwesen Nürnberg, Bildstelle, K.84/2).

Georg Daßler

Dieser Weg in die Ansichtskartenfotografie hatte für Schmidt sicher seine tieferen Gründe. Zu der Zeit, als er seine Aufnahmen als Ansichtspostkarten vertrieb – also in der zweiten Hälfte der 90er Jahre des vorigen Jahrhunderts –, war in Erlangen wieder ein bodenständiges Atelier in Blüte, das offensichtlich auch den Markt der topographischen Aufnahmen in Originalabzügen beherrschte.

Abb. 14. Georg Daßler: Selbstbildnis. Die handschriftliche Adresse auf der Rückseite "George Daßler, Academischer Künstler, Erlangen" verrät das gleiche Selbstbewußtsein, das aus der Positur des Mannes spricht. Um 1870, Visitformat. (Stadtarchiv Erlangen V.E. 518).

Es ist das Atelier von Georg Dassler, oder wie sich der Fotograf gern selbst nannte: Professor George Dassler. Er war am 21.6.1836 in Erlangen als Sohn des Schreibers am Finanzamt Ludwig Friedrich Dassler und seiner Ehefrau Johanna Margaretha, geb. Spiegel, geboren worden und starb in Nürnberg am 14.8.1919. Er eröffnete 1860 in Erlangen eine lithographische Anstalt; besaß aber zu dieser Zeit bereits ein Fotoatelier. Von 1864 bis 1878 erteilte er am Gymnasium Zeichenunterricht. Seit dieser Zeit bezeichnete er sich als akademischen Künstler und nannte sich Professor; dabei verfehlte er es nicht, diese Bezeichnungen auch bei seinen fotografischen Arbeiten in die Öffentlichkeit zu bringen. Seine zahlreich erhaltenen Selbstporträts verraten eine gewisse Selbstgefälligkeit, wie sie auch aus

dem handschriftlichen Eintrag auf der Rückseite des hier abgebildeten Visitfotos spricht (Abb. 14).

Wie bei den Gebrüdern Heintz waren die Porträtfotos wohl seine Existenzgrundlage. Er war der einzige, der sich neben diesem Atelier über einen längeren Zeitraum halten konnte (das Atelier bestand bis 1911). Sein Verdienst ist es, über die Porträtaufnahmen hinaus nach Möglichkeiten der fotografischen Aufnahme gesucht zu haben. Mit einem wachen, geradezu journalistischen Blick hielt er im Bilde fest, was seine Umwelt bewegte. Die thematische Breite seiner Aufnahmen ist bemerkenswert. Für ihn waren nicht nur Aufnahmen von Naturkatastrophen wie Bränden oder dem abgebildeten Eisgang an der Förstermühle im damals noch selbständigen Markt Bruck (Abb. 15) ein Thema, er fotografierte auch für wissenschaftliche Veröffentlichungen von Universitätsprofessoren oder hielt die Entwürfe, die für einen auf dem zentralen Marktplatz zu errichtenden Brunnen eingereicht wurden, im Bilde fest. Er fotografiert im Grunde wie ein Journalist, doch fehlte ihm die Veröffentlichungsmöglichkeit einer Zeitung. So vertrieb er seine Fotos einzeln an interessierte Käufer. Dieses chronistische Element seiner Fotografie – das Festhaltenwollen eines bestimmten Momentes oder besser noch: einer Situation – steht wohl auch hinter seinen topographischen Fotos (Abb. 16). Sie sind unprätentiös, aber nicht ohne Verständnis für typische Erlanger Situationen gemacht und dokumentieren so Elemente des Erlanger Stadtbildes für alle Zeit – und für den Sammler. Ursprünglich vertrieb Dassler seine Fotografien mit Signaturen. Es gibt handschriftliche Formen in der Anfangszeit, lithographierte Namenszüge und einen Prägestempel, der in den Jahren ab 1890 Verwendung findet. Auffallenderweise spiegelt gerade seine Benutzung einen Wandel in der Bildauffassung. Wurde er in den Anfangszeiten um 1890 jeweils in den Abzug gedrückt, so ist er in späterer Zeit in den Karton unter das Bild gesetzt. Das einfach markierte Produkt "Bild" wurde weiterverarbeitet zu einem Arrangement; dieses fand schließlich als historisches Dokument seinen Käufer.

Daß sich mit der massenhaften Produktion von Ansichtspostkarten sehr bald ein Sammlermarkt entwickelte, ist bekannt und angesichts ähnlicher Entwicklungen auf dem Gebiet der Porträtfotografie vorher auch nicht verwunderlich. Daß sich ein tragfähiger Absatzmarkt aber auch für echte Abzüge auf Karton, die in diesem Format einem Sammler schon Lagerprobleme schufen, herstellen ließ, überrascht doch etwas. Umso dankbarer sind wir, daß wenigstens einer der Abnehmer namentlich bekannt ist, aus dessen Besitz die Fotos in das Stadtarchiv gelangt sind. Es handelt sich um Friedrich Clemens Ebrard (1850 – 1935), zuletzt Universitätsbibliotheksdirektor in Frankfurt am Main. Trotz oder vielleicht gerade wegen seiner Abwesenheit von seiner Heimatstadt war er ein eifriger Sammler von Erlangensien; er besaß Bücher, Graphiken, Gelegenheitsdrucke, Handschriften, die Bezüge zu Erlangen hatten. Für ihn gehörten die chronistisch-topographischen Fotos von Dassler offensichtlich zu einer solchen Sammlung.

Abb. 15.   Georg Daßler: Eisgang an der Förstermühle in Bruck. Eine von den journalistischen Aufnahmen Daßlers, die aber sein Interesse für die Topographie erkennen lassen. Winter 1893, 28 : 23,2 cm, signiert mit Prägestempel, Wiedergabe eines Ausschnittes. (Stadtarchiv Erlangen VI.H.b.1).

Abb. 16.   Georg Daß-
ler: Blick durch die Mar-
tinsbühler Straße nach
Westen auf die Fried-
hofskirche der Altstadt.
Um 1890, 13 : 18 cm,
signiert mit Prägestem-
pel. (Stadtarchiv Erlan-
gen VI.E.b.105).

Abb. 17.   Georg Daßler: Blick vom Turm der Neustädter Kirche nach Südwesten. Im Mittelgrund der gleiche Bahnübergang wie bei der Aufnahme von Ferdinand Schmidt von der anderen Seite (Abb. 13). Im Hintergrund links der Ludwig-Donau-Main-Kanal, rechts die Regnitz. 1890–1895, 10,2 : 13 cm, abgerundete Ecken. (Stadtarchiv Erlangen VI.Z.b.103).

Die Abbildungen 17 und 18 stammen aus einer Serie von zwölf Fotos, die Panoramas von Erlangen ergeben. Daßler nahm sie von dem Umgang des Turmes der Neustädter Kirche in Erlangen auf. Es handelt sich somit um die ersten "Luftaufnahmen" von Erlangen.

Abb. 18.   Georg Daßler: Blick vom Turm der Neustädter Kirche nach Nordnordost. Im Vordergrund die Gebäude der Brauerei Wolfsschlucht, die einer der Gebrüder Heintz um 1850 noch gezeichnet hat. 1890–1895, 10,3 : 13 cm, abgerundete Ecken. (Stadtarchiv Erlangen VI.Z.b.108).

Abb. 19. Leonhard Bergmann: 4-Straßenblick vom Burgberg nach Norden. Das Foto zeigt den berühmten Ausblick vom Burgberg auf die Verkehrswege, der Eisenbahn, der Straße des Ludwig-Donau-Main-Kanal und der Regnitz. Um 1912, 12 : 17 cm, brauntoniger Abzug. (Stadtarchiv Erlangen VI.R.b.224).

Abb. 20. Michael Bassler: Winterlandschaft an der Schwabach östlich von Erlangen. Stimmungsvolle Amateuraufnahme. 1914, 12 : 17 cm. (Stadtarchiv Erlangen VI.B.b.122).

15

Mit seiner Art topographischer Fotografie ist Dassler auch zum ersten Mal eine systematische Erfassung der Stadt gelungen (Abb. 17, 18). In den Jahren um 1895 schleppte er seine Kamera auf den Umgang des Turmes der Neustädter Kirche, nahm von dort in einer Serie von zwölf Bildern die gesamte Stadt auf und schuf damit die erste Ansicht Erlangens aus der Vogelschau, lange ehe es zu den ersten Luftbildaufnahmen aus einem Flugzeug kam (1920). Die Serie ist zum ersten Mal in dem hier wiedergegebenen Format erschienen und in einer kleinen Mappe, deren lithographiertes Titelblatt ebenfalls von Dassler stammen dürfte, in die Öffentlichkeit gebracht worden. Zur gleichen Zeit existieren sie aber auch im Großformat 28,5 x 35,5 cm, und zwar in zwei verschiedenen Auflagen, einmal mit, einmal ohne Schriftband am unteren Rand. Mit ihrer Schärfe und ihrem Detailreichtum sind es die schönsten Aufnahmen, die in dem von uns behandelten Zeitraum von der Stadt Erlangen vorliegen.

Dabei läßt sich an Abbildung 18 die Entwicklung der Ortsansichten-Fotografie kurz charakterisieren, denn die Brauerei im Vordergrund, nach einem Besitzer namens Wolf, der auch eine Wirtschaft dort betrieb, "Wolfsschlucht" geheißen, war in der zweiten Hälfte des letzten Jahrhunderts mehrmals ein Motiv für Künstler und Fotografen. Um 1850 zeichnet einer der Brüder Heintz drei Ansichten der Brauerei bzw. ihres Felsenkellers am Burgberg. Sie wurden als Sammelblatt in der lithographischen Anstalt von Dannheimer in Nürnberg publiziert. 1874 nimmt Dassler die Belegschaft der Brauerei auf. Er schafft ein Gruppenbild, das er aus Einzelaufnahmen zusammenmontiert; den Hintergrund bildet das Brauereigebäude – nicht als Fotografie einmontiert, sondern aquarelliert mit sichtlichem Bemühen um realistische Wiedergabe. Etwa zwanzig Jahre später schafft er die Panoramaansicht, auf der die Brauerei detailgenau im Vordergrund zu sehen ist, darüber hinaus aber in das Ensemble der Stadt und der Landschaft eingebettet wird. Mit Dasslers Panoramaserie vom Neustädter Kirchturm ist der Höhepunkt der topographischen Aufnahme in Erlangen von den Anfängen der Fotografie bis hin zum ersten Weltkrieg erreicht worden, der in diesem Zeitraum auch nicht mehr überschritten werden sollte.

Zur Jahrhundertwende: Naturstudien

Zur Vervollständigung soll aber noch auf zwei Fotografen eingegangen werden, an denen zugleich noch weitere Aspekte hervorgehoben werden können. Der Erlanger Leonhard Bermann arbeitete vor allem im ersten Jahrzehnt unseres Jahrhunderts. Ein halbes Menschenalter jünger als Dassler (geb. Erlangen 26.3.1849, gest. Erlangen 8.2.1928), nebenher noch Universitäts-Tanzlehrer, ist er ein typischer Vertreter jener kleineren Fotoateliers, die sich neben und vor allem nach Dassler halten konnten, ohne je seine Brillanz zu erreichen. Er ist deshalb besonders erwähnenswert, weil er in den Jahren 1904–1906 eine Reihe von Aufnahmen schafft, die er teils selbst als Ansichtskarten verlegt, teils für große auswärtige Verlage fertigt. Sie verraten eine stärkere Beschäftigung mit der Landschaftsidylle. Er fotografiert gern "Partien" an den Flußufern der Schwabach und der Regnitz, in denen Wasser, Büsche, Himmel und gelegentlich die Bebauung als Hintergrund ausgewogen über die Bildfläche verteilt sind. Zunehmend ist in seinen Abzügen und bei den Ansichtskarten die Verwendung von Braun- und Grüntönen festzustellen.

Das gleiche läßt sich von Abbildung 20 sagen, würde aber nicht ausreichen, um das fotografische Schaffen des Bildautors zu kennzeichnen. Michael Bassler hat eine Reihe von gut komponierten Landschafts- und Ortsaufnahmen aus Erlangen und seiner näheren Umgebung hinterlassen. In unserem Zusammenhang ist er deshalb zu erwähnen, weil er der erste Amateurfotograf in Erlangen war, von dem sich ein über die Gelegenheitsknipserei hinausgehendes Werk erhalten hat. Bassler (1884 – 1951) war Baumeister und Steinbruchbesitzer; er hat auch seine Arbeitswelt, das Wachsen seiner Bauten, mit der Kamera beobachtet. So wird er für uns heute ein wichtiger Vermittler der Entwicklung der Stadt am Anfang unseres Jahrhunderts.

Diese Abhandlung kann nicht den Anspruch auf Vollständigkeit erheben. Manches Bild existiert noch, das anonym überliefert ist und erst in diese grob zitierte Entwicklungslinie einzuordnen wäre. Mancher Fotograf wäre noch zu nennen, der auch topographische Ansichten geschaffen hat, dessen Bilder nicht schlechter sind als manche der hier vorgestellten. Aber Produkt, Produktion und Absatz unterscheiden sich nicht sehr von dem, was beispielhaft geschildert werden sollte.

Anmerkungen

1 Siehe hierzu Werner Neite, Die frühen Jahre der Photographie – Dokumentarisches zu den Anfängen in Deutschland, in: In unnachahmlicher Treue, Ausstellungskatalog, Museen der Stadt Köln, Köln 1979, S. 27 ff

2 Vgl. Fritz Kempe, Daguerreotypie in Deutschland, Seebruck am Chiemsee 1979, passim.

3 Hauptbestand für die Untersuchung natürlich im Stadtarchiv Erlangen; berücksichtigt wurden auch die Sammlungen des Deutschen Museums in München und des Stadtmuseums München.

4 Einzelnachweise in: Helmut Richter, Frühe Fotografien, frühe Photographen in Erlangen 1843 – 1914, Stadtmuseum Erlangen, Ausstellungskatalog 22, Erlangen 1977, S. 8

5 Ein nicht völlig geklärter Besitzervermerk auf dem Exemplar des Stadtarchivs nennt das Jahr 1848. Die zweite Fassung als Lithographie bei Druckerei und Verlag Eisenhardt in Erlangen mit dem Vermerk "Nach einer Photographie von Gattineau".

6 Wilhelm Kriegbaum (Hrsg.), Nürnberg, dargeboten in alten Photographien des Photographen Ferdinand Schmidt 1860 – 1909, Nürnberg o.J. (1968); vgl. seit neuestem auch die knappe Würdigung Schmidts von Hermann Glaser in: Hermann Glaser, Wolfgang Ruppert, Norbert Neudecker, Industriekultur in Nürnberg, München 1980, S. 304.

7 Dreifach überliefert.

Gert Rosenberg

Fritz Luckhardt

Ein Porträtchronist Wiens

"Primitive der Photographie", so nennt Nadar, der große Franzose in seinen 1900 erschienenen Memoiren eine Reihe von Personen, deren hervorragende Leistungen in der Frühzeit der Fotografie diesen Ehrentitel rechtfertigen. Der einzige Name, der Österreich in dieser Aufzählung vertritt: Fritz Luckhardt.

Fritz Luckhardt ist, obwohl nicht im Gebiet der Donaumonarchie geboren, einer der markantesten österreichischen Fotografen seiner Zeit und beeinflußte stark die Entwicklung der österreichischen Fotografie von der Haupt- und Residenzstadt Wien aus, die er sich als ständigen Aufenthaltsort wählte. Durch seinen Ideenreichtum und der ständigen Auseinandersetzung mit den Neuerungen auf dem Gebiet der Fotografie konnte Luckhardt jenen unglaublichen und anhaltenden Erfolg im In- und Ausland erringen. Seine Verfahren und Rezepturen fanden Eingang in die zeitgenössische Fachliteratur.

Am 17.3.1843 (1) in Kassel im damaligen Kurhessen geboren, "von seinen Eltern zu einem chemisch-technischen Berufe bestimmt ... besuchte (er) das Polytechnicum in Cassel mit der Aussicht, ein grosses Seifensiedergewerbe seines Grossvaters zu übernehmen. Die praktische Vorbildung erhielt er in Hannover und hantirte dann als richtiger Ouvrier in Paris in einer Parfümeriefabrik." Doch schon nach kurzer Zeit zog es Fritz Luckhardt zur Fotografie, "und er trat sehr gegen den Willen seiner Angehörigen aus dem Geschäfte und nahm eine Stellung bei C. Dagron an, welcher damals die auf Glasprismen aufgeklebten Mikrophotographien in Handel brachte. Aus jener Zeit rührt eine Visitkarte her, auf der Luckhardt eine Million Francs in Zwanzigfrankenstücken nebeneinandergelegt, photographirt hatte, die er gerne vorzeigte." (2).

1865, nach einem Aufenthalt in England, kam er nach Wien und arbeitete vorerst in der "photographischen Kunsthandlung" Oscar Kramers am Kohlmarkt, "Export und Import aller für Photographen nöthigen und brauchbaren Artikel", als Fremdsprachenkorrespondent für Englisch und Französisch. Bereits am 5. Dezember desselben Jahres hielt Fritz Luckhardt einen Vortrag über "Magnesium-Metall und dessen Anwendung" (3) vor den Mitgliedern der Photographischen

Abb. 1. Fritz Luckhardt (1843 – 1894), mit dem Ritterorden des portugiesischen Christus-Ordens. Atelier Fritz Luckhardt, um 1871, Vergrößerung eines Fotos im Visitformat. (Bildarchiv der Öst. Nationalbibliothek, Pf 14.269/1).

Gesellschaft in Wien. Bei diesem Vortrag des Zweiundzwanzigjährigen kam besonders die "chemisch-technische" Ausbildung zum Tragen. Umso erstaunlicher dann das um 1868 einsetzende hohe Vermögen auch auf künstlerischem Gebiet, das in seinen Aufnahmen aus dieser Zeit zum Ausdruck kommt.

17

Abb. 2. "Das neue Hôtel National in Wien", erbaut 1847, nach einem Stahlstich von Hummitzsch. Über der 4. Etage befand sich das Atelier Luckhardts. 14,6 : 21,7 cm. (Sammlung Rosenberg).

Das Atelier

Das Hotel National in der Wiener Leopoldstadt, Taborstraße 18, von den bekannten Architekten Ludwig Förster und Theophil Frh. von Hansen 1847 als monumentaler und eleganter Bau mit 200 Fremdenzimmern errichtet (Abb. 2), hatte über der vierten Etage eine große, mit Bäumchen bepflanzte Terrasse. Auf dieser baute Förster ein freistehendes fotografisches Atelier, die verglaste Seite nach Nordosten gerichtet (Abb. 3). Es wurde von mehreren Wiener Fotografen, u.a. von Ludwig Harmsen (4) und dem bekannten Emil Rabending benützt, angeblich auch von Carl von Jagemann.

Das Atelier war unterteilt in den Atelierraum, "Glasraum" genannt, und das Laboratorium; die Gesamtlänge des Atelierraumes betrug 40 Fuß (12,64 m), die Tiefe 20 Fuß (6,32 m), 18 Fuß (5,68 m) war die Glasfront lang. Mit lichtblauen Gardinen wurde das Ober- und Seitenlicht reguliert (5). In das Atelier gelangte man von der letzten Hoteletage aus über eine Wendeltreppe. "Freilich gehört wohl eine Existenz im fünften und sechsten Stocke gerade nicht zu den beneidenswerthesten Annehmlichkeiten des menschlichen Daseins und ist nicht zu läugnen, dass für manche Leute die Benützung eines derartigen Sitzungslocales mit den unersteiglichsten Hindernissen verbunden ist; da aber wir Photographen zur geduldigen Ertragung der mannigfaltigsten Beschwerden schon einmal unbarmherzig verurtheilt sind, die geringe Zahl unserer schwerathmigen Kunden sich über eine in solchen Häusern stets vorhandenen sehr bequeme Stiege auch tragen lassen kann, während die Mehrzahl der nobleren Grossstädter solche mehr als anderthalb hundert Stufen immer noch einem um ein paar Gassen weiteren Weg vorzieht, und die gemachten Erfahrungen über die auf so hohen Standpuncte gar nicht seltenen Besuche selbst der höchsten Persönlichkeiten uns in dieser Beziehung vollkommen beruhigen dürfen", schreibt 1867 der Maler und Fotograf Alois Nigg in seinem Aufsatz "Ueber den Bau der photographischen Salons" (6).

Um diese Zeit gab es in Wien noch ein zweites, ebenfalls von Ludwig Förster errichtetes Hochatelier auf dem Gebäude des Palais Todesco, Kärntner Straße 51, das der durch seine Fotografien auf Porzellan bekannt gewordene Fotograf Julius Leth (1829–1903) betrieb. Beide Hochateliers hatten als bauliches Vorbild das vom Architekten Johann Julius Romano erbaute Atelier des berühmten Ludwig Angerer (1827–1879) in der Theresianumgasse auf der Wieden (6).

Emil Rabending (1823–1886), der Besitzer des Hochateliers in der Leopoldstadt, und Dr. Désiré Charles van Monckhoven (1834–1882) beschlossen 1866, gemeinsam ein neues Atelier nach dem amerikanischen Tunnelsystem in der Favoritenstraße Nr. 3, im Hofe der k.k. Erzgießerei zu errichten. Im selben Jahr übersetzte Fritz Luckhardt das Buch "Photographische Optik" van Monckhovens ins Deutsche, was eine enge Freundschaft zwischen Autor und Übersetzer begründete, und Dr. van Monckhoven verhalf dem Freund zum nun freiwerdenden Atelier Rabendings.

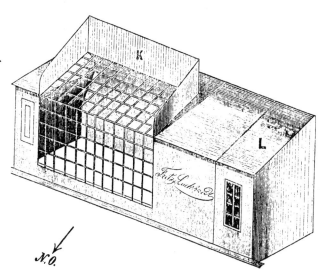

Abb. 3. "Dimension, Grundriss, Durchschnitt und Perspectivische Ansicht des Ateliers von Fritz Luckhardt in Wien" (aus: Photographische Correspondenz 1870).

Fritz Luckhardts Atelier war mit der damals besten technischen Ausrüstung ausgestattet. Die "Portrait-Camera" (Abb. 4) war ein "Modell aus dem Magazin des Herrn Oscar Kramer in Wien, Kohlmarkt Nr. 18. Dieses System ist in dem Atelier des k.k. Hofphotographen Fritz Luckhardt eingeführt." (5). Luckhardt verwendete in den 70er Jahren ausschließlich Voigtländer-Objektive, für Cabinet-Aufnahmen z.B. von Voigtländer & Sohn in Wien und Braunschweig ein "Doppel-Objectiv von 0,104 und 0,108 m (48 und 50 ''' (Linien)) Oeffnung und 0,453 m. (17'' (Zoll) 5''' (Linien)) Brennweite, ohne Trieb, Bildgrösse 0,338 m. (13'' (Zoll))." (5).

Vergrößerungen wurden mit einem "der Dr. D. van Monckhoven'schen dialytischen Vergrösserungs-Apparate (angefertigt), welche von Bildern bis zur Höhe von 6 Fuss in verhältnismässig kurzer Zeit vor-

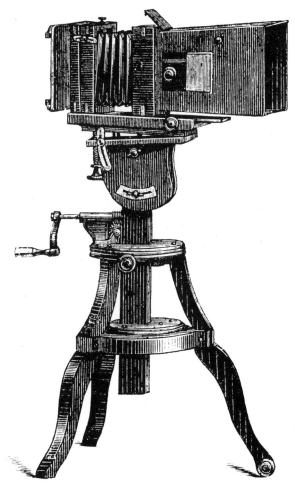

Abb. 4. "'Visitkarten-Camera' im Atelier des k.k. Hofphotographen Fritz Luckhardt" (aus: Ludwig Schrank, Der Rathgeber des practischen Photographen, Wien 1875).

zügliche Vergrösserungen liefern, Apparate zu 500, 1000 und 3000 Francs loco Gent. Hierzu in grossen Formaten Albumin- und ausserordentlich empfindlichen Nitroglycose-Papiere, 6-, 8- und 10 fache Cartons, ganz passende Cuvetten (Tassen) von gegossenem Spiegelglase, Papiermaché etc. etc. Durch mich gelieferte Apparate (grösste Nummer) besitzen bereits die Herren Fritz Luckhardt, Emil Rabending, Dr. Heid, Jul. Gertinger, Dr. Székely & Massak in Wien, M.L. Winter in Prag etc. etc." Soweit eine Ankündigung Oscar Kramers 1868, der das "General-Dépôt" für diese Vergrößerungsapparate hatte. Als "sehr klaren, aber theuren" Vergrößerungsapparat bezeichnet Ludwig Schrank dieses große Instrument, dessen "ganzes Volumen ... beträgt beiläufig 20 Kubikfuss" (7). Das speziell hergestellte Nitroglucose-Papier findet Schrank nur "mysteriös".

Erfindungen und Experimente

Neben dieser fotografisch-technischen Ausrüstung benutzte Luckhardt zum Teil auch selbsterfundene Apparaturen und Verfahren. Um den "Ausdruck der langen Weile" bei seinen Modellen nicht aufkommen zu lassen, fertigte er 1871 eine etwas merkwürdig anmutende "Vorrichtung an, welche aus einer drehba-

ren und durch ein Uhrwerk beweglichen Scheibe besteht, auf der Photographien befestigt sind. Durch die Bewegung der Scheibe werden in verhältnismässig kurzen Zeitabschnitten die einzelnen Bilder in der auf der Deckplatte angebrachten Öffnung sichtbar." Luckhardt stellte nun "diese Vorrichtung in der Nähe der aufzunehmenden Person auf und bestimmt dadurch die Richtung, nach welcher sie blicken soll." (8). Und noch einmal, fast zehn Jahre später, stellte Fritz Luckhardt eine verbesserte Version dieses Apparates vor: "Der Apparat auf einem verstellbaren Stativ unterscheidet sich vortheilhaft von früher ausgeführten ähnlichen Vorrichtungen, indem derselbe geräuschlos vierundzwanzig Bilder an einer Öffnung langsam vorüberziehen lässt ..." (9).

Er entwickelte eine Verbesserung des bei den zu porträtierenden Personen so unbeliebten Kopfhalters und konnte "durch das Verschieben von zwei getrennt, an den vorderen Enden zugespitzten Eisenstäben das Anlegen der Damenköpfe mit Hüten und modischen Frisuren ohne Veränderung der Haltung" (9) erreichen.

Die um 1870 beliebte "Rembrandt-Beleuchtung" bei Porträtaufnahmen wurde von Luckhardt eingehend studiert und für die Gegebenheiten seines Ateliers ausgearbeitet. "Er hatte den glatten Hintergrund bevorzugt und denselben durch Vorstellen einer Seitenwand, je nach Bedarf einseitig verdunkelt, so dass bei Blondinen die Haare aus einem tiefen Schatten sich abheben und durch den Contrast heller erscheinen." Luckhardts Atelier wurde oft als Muster abgebildet und vielfach große Vorzüge nachgesagt. Doch diese von ihm "erfundene neuartige Beleuchtungs-Methode" sei "dadurch entstanden, dass er in seinem Atelier sich immer dahin flüchten musste, wo er von den Reflexen am wenigsten zu leiden hatte", gestand Fritz Luckhardt dann 1893 bei einem Vortrag im Amateurclub (10).

Luckhardts hohes Fachwissen, seine Experimentierfreudigkeit und seine weltweiten Verbindungen ließen ihn vielfach zum technischen Berater und Auskunftgeber, insbesondere in den Plenarversammlungen der Photographischen Gesellschaft in Wien werden. Befremdend dagegen sind die wenigen Ausnahmen, bei denen er mit der kommenden Entwicklung nicht Schritt hielt. So war er gegen die Trockenplatte und hielt am nassen Kollodiumverfahren fest (10), wie er sich auch 1881 gegen das Aufkommen der elektrischen Beleuchtung im fotografischen Atelier ausspricht: "Herr Luckhardt hält dafür, dass eine derartige Einrichtung für den Professionsphotographen in Wien, abgesehen von der Kostspieligkeit, mit Rücksicht auf die Clientel nicht vortheilhaft sein dürfte, indem in Wien weder das Nachtleben so entwickelt ist wie in Paris und London, noch auch die klimatischen Verhältnisse so ungünstig sind, wie in manchen nordischen Städten ..." (11).

Von der Notwendigkeit der Retusche, sowohl am Negativ als auch am Positiv, war Fritz Luckhardt schon vom Beginn seiner fotografischen Tätigkeit an überzeugt, obwohl gerade der "Begründer der modernen Wiener Photographie" Ludwig Angerer ein ausgespro-

Abb. 5. Fritz Luckhardt: Kronprinzessin Stephanie (1864–1945), Witwe des österreichischen Thronfolgers Rudolph. Von Luckhardt mit der Radiernadel im Negativ überarbeitete Aufnahme ("Photo-Radirung"). 1889, Cabinetformat. (Sammlung Rosenberg).

mit der Rückwand und gewisse störende Ornamente des Saales sind abgeschwächt, während andere hervorgehoben wurden ..... Ein Palmenstrauch, der zufällig nur mit den Spitzen in das beschnittene Bild hineinragte, wurde mit der Radirnadel zu einer kräftig wirkenden Seitendecoration verlängert und auch an vielen Stellen mit Hilfe eines in Alkohol getauchten zugespitzten Holzes Schatten gezeichnet und in Harmonie mit der Umgebung gebracht." (12; Abb. 5). Die von Luckhardt mit viel Enthusiasmus entwickelte "Photo-Radirung" fand nicht bei allen seinen Zeitgenossen Zustimmung. Diese Technik erbrachte wohl nur in den Händen ihres Erfinders, der ein guter und geübter Zeichner war, befriedigende Ergebnisse.

Der Porträtist der Wiener Gesellschaft

Die Auswirkungen des Krieges 1866 gegen Preussen bekam auch Wiens fotografische Welt zu spüren. So gab es Schwierigkeiten bei der Versorgung mit Rohmaterialien oder wegen der Teilnahme an der Pariser Weltausstellung 1867. In diese Zeit fällt die Eröffnung des Ateliers von Fritz Luckhardt. Die Konkurrenz in Wien war groß und neben – erstaunlich für diese Jahre – zwei "Daguerreotypeuren" (14) warben 121 Fotografen, darunter so bekannte und gute wie Ludwig Angerer, Adele Perlmutter, Dr. Székely, Dr. Hermann Heid und Julius Gertinger, um Kunden. Trotzdem gelang es Fritz Luckhardt schon in wenigen Monaten, zum bevorzugtesten Porträtisten der Wiener Künstlerwelt zu gehören.

Sind Fritz Luckhardts frühe Bildnisaufnahmen dem damaligen durchschnittlichen Geschmack entsprechend und stellen keine außergewöhnliche Auffassung dar, so bricht doch sehr bald der für Luckhardt typische Porträtstil durch (Abb. 13) und erreicht seinen Höhepunkt in den frühen 70er Jahren (Abb. 16), verflacht dann aber mehr und mehr. Aus der Experimentierfreudigkeit wird zunehmend Routine, und die kommerzielle Sicht überwiegt. Fritz Luckhardts Porträtstil um 1870, einer Zeit, in der Wiens Künstlerwelt die bildliche Entsprechung dessen, wie sie sich dargestellt wissen wollte, in den Aufnahmen Luckhardts erfüllt sah, hob sich gewaltig von den meisten seiner Wiener Kollegen ab. Einerseits war es die Beherrschung der Technik, andererseits war es vielfach auch der Mut zu neuer Sicht im Porträtfach, die den Rang dieser Porträts ausmacht. So erhielt er bei der 3. Deutschen photographischen Ausstellung zu Hamburg 1868 die silberne Medaille "für künstlerische Auffassung und technische Vollendung im Porträt" (15).

Entsprach das Bildnis bei Fritz Luckhardt nach der Gründung seines Ateliers, was die Plazierung der Dargestellten, die Wahl der Hintergründe und die Verwendung von "Utensilien" anlangte, der bis dahin üblichen Manier – und ein Vergleich mit Bildnissen verschiedener Wiener Fotografen läßt Luckhardt-Aufnahmen als solche nicht erkennen – so fand er schon kurze Zeit spä-

chener "Feind jeglicher Retouche" war (12), worauf Luckhardt selbst hinwies. Eine von ihm erfundene, angewandte und mit allem Nachdruck vertretene Abart der Retusche ist die "Negativretouche mit der Radirnadel", bzw. die "Photo-Radirung". Schon früh zeichnet sich sein Hang zu dieser Technik ab. 1871 schreibt Luckhardt: "Bei Costümbildern, wo es sich (wie z.B. der Selica aus der Afrikanerin) darum handelt, Gesicht und Hände dunkel erscheinen zu lassen, ist auf diese Weise das einfachste Mittel geboten, ohne dass das Schminken der Person nöthig wäre, indem man die ganze Platte mit dunkelrothem Collodium überzieht, und nur Gesicht und Hände herausschabt." (13). In konsequenter Weiterentwicklung kommt er zehn Jahre später zur "Photo-Radirung", wobei Luckhardt mit der Radiernadel eine Aufnahme im Negativ entweder völlig oder teilweise überarbeitet und so zu einer Strichzeichnung oder nur zu einer stärkeren Veränderung der Aufnahme gelangt, wie bei dem Porträt "Ihrer kais. Hoheit der Frau Kronprinzessin-Witwe Stephanie im Alt-Wiener Costume aus den Zwanziger-Jahren ... (das) in Stimmung gebracht ist. Die zu hellen Theile des Hintergrundes, welcher den seiner Zeit in Wien beliebten, im Empirestyl ausgeführten Apollosaal darstellt, sind dunkler gemacht, die Perspective des Parquetbodens verbindet sich durch Verlängerung auf dem Fussboden

Abb. 7. Fritz Luckhardt: Doppelporträt der damals beliebtesten Wiener Sängerinnen und Schauspielerinnen Marie Geistinger (1833–1903) und Josefine Gallmeyer (1838–1884). Um 1869, Visitformat. (Sammlung Starl).

Abb. 6. Fritz Luckhardt: Charlotte Wolter (1833–1897) in der Rolle der "Sappho". Um 1869, Cabinetformat. (Sammlung Rosenberg).

Abb. 8. Fritz Luckhardt: Karl Blasel (1831–1922), berühmter Komiker und Theaterdirektor. Um 1870, Cabinetformat. (Sammlung Rosenberg).

Abb. 9. Fritz Luckhardt: "Hellmesberger-Quartett". Die Montage aus vier Einzelporträts wurde sowohl im Visitformat als auch als Cabinetfoto vertrieben. Sie zeigt (rechts oben) den Gründer und Leiter Joseph Hellmesberger (1828–1893) mit den weiteren Mitgliedern des berühmten Ensembles. Um 1873, Cabinetformat. (Sammlung Starl).

Abb. 10. Fritz Luckhardt: Die Varietékünstler "Clodoches", in einer im Atelier gestellten Theaterszene. Um 1869, Vergrößerung eines Fotos im Visitformat. (Sammlung Rosenberg).

Abb. 11. Fritz Luckhardt: Der Drahtseilakt im Atelier. Um 1869, Visitformat. (Sammlung Rosenberg).

Abb. 12. Fritz Luckhardt: Marie Geistinger (1833–1903) als "Genoveva" (in Brabant); typisches Rollenfoto der Zeit. Um 1869, Visitformat. (Sammlung Starl).

ter zu einer eigenen klaren Linie und sein spezifischer Bildnis-Stil, besonders bei seinen Künstlerbildnissen, tritt stark hervor. Luckhardts Künstlerporträts (Abb. 6–9) hatten weltweiten Absatz, und somit mußte auch im Bildformat den Modeströmungen Rechnung getragen werden. Von einem Negativ in Carte de Visite-Größe wurden sowohl Kopien als auch Vergrößerungen im Cabinetformat (Abb. 9) und größer

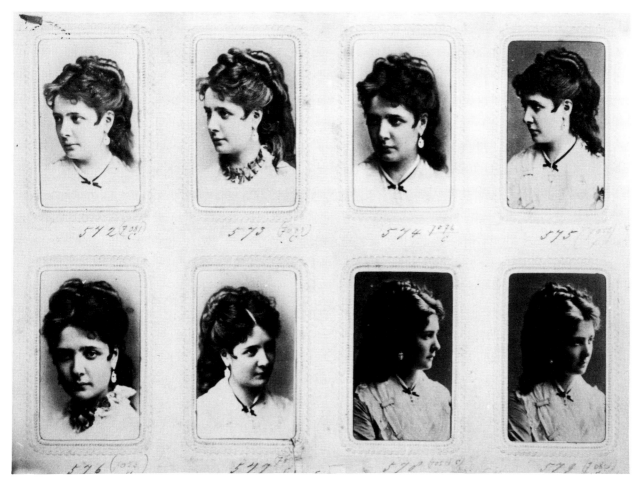

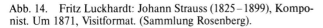

Abb. 13. Fritz Luckhardt: Serienaufnahmen. Solche Bildfolgen verdeutlichen die Arbeit des Fotografen bei der Gestaltung von Porträts. Um 1869/70, Einzelfotos Visitformat. (Sammlung Rosenberg).

hergestellt; jedoch Luckhardt beschäftigte sich insbesondere mit Vergrößern von Ausschnitten. So besitzt die Porträtsammlung der Österreichischen Nationalbibliothek eine Aufnahme Luckhardts vom Komponisten Eduard Strauß als ganzes Porträt, sowie ein Kopfstück, jeweils im Visitformat, wobei das Kopfstück eine Ausschnittvergrößerung aus dem ganzen Porträt ist.

Luckhardt war der erste, der "Wiener Studienköpfe in den Kunsthandel einführte, die bald kolossale Verbreitung fanden und gleichmässig die Schaukästen von New-York, Brüssel und Wien füllten." (2). Später kamen noch Stereoaufnahmen und sogenannte Theateraufnahmen (das waren im Atelier nachgestellte Theaterszenen) hinzu (Abb. 10, 18). Durch Reihenaufnahmen fand Luckhardt den richtigen Ausdruck bei Porträtaufnahmen (Abb. 13). Er machte berühmte Aufnahmen von großen Musikern wie Wagner, Liszt, Bülow, Rubinstein, den Brüdern Strauß, Offenbach, Herbeck und vielen anderen Prominenten (Abb. 14, 16, 17) Die Burgtheater- und Operngrößen ließen sich von ihm porträtieren. Musterblätter dieser Künstlerfotografien verkleinerte Luckhardt, numerierte die einzelnen Aufnahmen, und nach diesen wesentlich billigeren Musterkarten konnten die Kunsthändler die Fotografien bestellen (16).

Abb. 14. Fritz Luckhardt: Johann Strauss (1825–1899), Komponist. Um 1871, Visitformat. (Sammlung Rosenberg).

23

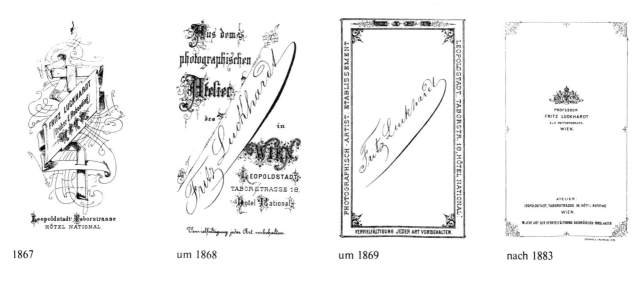

1867   um 1868   um 1869   nach 1883

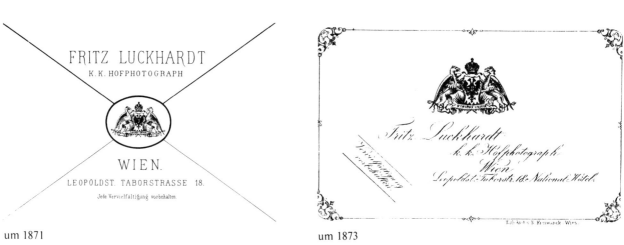

um 1871   um 1873

Abb. 15. Gestaltung der Rückseitenaufdrucke des Ateliers Fritz Luckhardt ab 1867. Zwei Lithographien stammen von K. Krziwanek in Wien, die anderen sind nicht bezeichnet. Fotokarten, Visit- und Cabinetformat.

Werbung auf den Fotokarten

Zum entsprechenden Gepräge der Fotografien der damaligen Zeit gehörte die graphische Gestaltung der Rückseitenaufdrucke auf den Untersatzkartons der verschiedenen Fotoformate (Abb. 15). Bei Fritz Luckhardt verläuft die Gestaltung der Rückseitenaufdrucke parallel zu seiner künstlerischen Entwicklung. Am Beginn weist die Gestaltung keinen eigenen Geschmack oder Formenwillen auf, ist äußerst konventionell, gibt in Versalien den Namen Fritz Luckhardt und darunter in Klammer "früher E. Rabending". Der Hinweis auf den damals bekannten und berühmten Kollegen Emil Rabending, dem bevorzugten Fotografen Kaiserin Elisabeths, spiegelt die Stellung Luckhardts deutlich wider. Kurze Zeit später, noch ebenso konventionell, jedoch in geänderter typographischer Zusammenstellung, verläuft bereits der signaturartige Namenszug diagonal von links unten nach rechts oben. Bei der darauffolgenden Gestaltung ca. 1869 findet Fritz Luck-

hardt zu seiner elegantesten Ausführung bei den Carte de Visite-Untersatzkartons. Auf hellgelbem Karton steht in rotem Aufdruck diagonal in Form einer Signatur der Namenszug, die rechteckige Umrahmung gibt Adresse und Vervielfältigungsvorbehalt. Nach der Verleihung des k.k. Hof-Photographen-Titels erfolgt der Aufdruck im Querformat, jedoch mehr als Geschäftskarte im eigentlichen Sinn gestaltet. Die als Briefumschlag bedruckten Cabinet-Untersatzkartons gehören zu den vornehmsten und verblüffendsten der zahlreichen Untersatzkarton-Gestaltungen bei Luckhardts Fotografien. Neben den Aufdrucken auf den Rückseiten bzw. Bildseiten der Untersatzkartons verwendete Luckhardt ab ca. 1869 zumeist einen Prägestempel mit seiner Unterschrift. Diese eindeutig als Signatur gedachte, ca. 2 cm lange Einprägung erfolgte immer rechts unten im Abzug.

Vereine und Ehrungen

Ein weites Betätigungsfeld bot Luckhardt die Photographische Gesellschaft in Wien, deren Mitglied er war und ab 1871 deren Sekretär. Er nahm den allerregsten Anteil am Wirken der Gesellschaft, war beinahe bei jeder Plenarversammlung mit Engagement dabei und stellte einen großen Teil seiner Zeit der Gesellschaft zur Verfügung. Er wurde oftmals als Juror zu bedeutenden internationalen Ausstellungen sowie als Delegierter der Gesellschaft zu Kongressen entsendet. Er schenkte Möbel für die Vereinslokalität (17), überarbeitete die Bibliothek der Gesellschaft (18) und "vernachlässigte ... ohne Bedenken ... einer wichtigen Sitzung in irgend einer Ausstellungscommission zu Liebe in den besten Tagesstunden (sein) Atelier ... – wo doch so viel von seiner Persönlichkeit abhing." (2). Luckhardt wurde Ehrenmitglied der Photographischen Gesellschaft aus Anlass des 25. Gründungsjahres und in Anerkennung der außerordentlichen Verdienste wurde ihm im Jahre 1891 die goldene Gesellschaftsmedaille verliehen, die feierliche Überreichung fand am 19. Januar 1892 statt. Nur einmal im Jahre 1887 war das Verhältnis Luckhardts zur Photographischen Gesellschaft für kurze Zeit heftig getrübt.

Besonders aufgeschlossen war Luckhardt im Gegensatz zu so manchen Berufsgenossen der in den beginnenden 80er Jahren einsetzenden Amateurbewegung. "Eine helle Freude empfand er über die vom Cameraclub gegründete Luckhardt-Medaille für künstlerische Photographien", weiß Ludwig Schrank zu berichten (2).

Luckhardt errang zahlreiche Medaillen nicht nur bei in- und ausländischen Ausstellungen, sondern auch Medaillen, Verdienstkreuze und Orden ausländischer Herrscher. 1871 die silberne "Medaille der Voigtländer Stiftung" für Genrebilder und mit allerhöchster Entschließung vom 27. Oktober 1873 das Ritterkreuz des kaiserlich österreichischen Franz Joseph-Ordens für Verdienste um die Weltausstellung 1873 in Wien (19). Neben dem k.k. Hoftitel wurde Fritz Luckhardt vom Herzog von Sachsen-Meiningen 1883 der Titel "Professor" verliehen (20), und die österreichischen Behörden genehmigten die Führung dieses Titels. Kurz vor seinem Tod wurde Fritz Luckhardt zum ersten Vicepräsidenten des Niederösterreichischen Gewerbevereines gewählt (21).

Zu den künstlerischen, sowie kommerziellen Erfolgen und jenen bei in- und ausländischen Ausstellungen bemühte sich Fritz Luckhardt um eine Ehre, die nicht nur im titelsüchtigen Wien sehr begehrt war: Am 28. November 1870 richtete er ein Gesuch um Verleihung des Titels "k.k. Hof-Photograph" an den Ersten Obersthofmeister Kaiser Franz Josephs I., Prinz Constantin Hohenlohe-Schillingsfürst, der selbst der Fotografie sehr verbunden war und 1877 wirkliches Mitglied der Photographischen Gesellschaft in Wien wurde (22). Luckhardt führt unter anderem an: "Seit ich mein photographisches Atelier in Wien eröffnet habe, war ich mit allen mir zu Gebote stehenden Mitteln bestrebt, die aus demselben hervorgehenden Arbeiten auf eine solche Höhe künstlerischer Vollendung zu bringen, daß sie jede Konkurrenz des In und Auslandes siegreich bestehen können. Ich glaube mir schmeicheln zu dürfen, daß mein Streben nicht vergeblich war. Durch vielfache von mir eingeführte chemische Verbesserungen, sowie durch eine von mir erfundene neuartige Beleuchtungsmethode ist es mir gelungen die öffentliche Aufmerksamkeit auf die in meinem Atelier erzeugten Lichtbilder zu lenken, und war ich so glücklich, auf der großen Spezial-Ausstellung für Photographie zu Hamburg im Jahre 1868, sowie im heurigen Jahre auf der Industrie-Ausstellung zu Cassel und Graz, und auf der photographischen Ausstellung zu Paris die ersten Preise zu erlangen. Die von mir angefertigten Künstler-Photographien, sowie meine Gallerie schöner Frauen werden in massenhaften Exemplaren in alle Theile der Erde exportirt, und bestehen dafür in Paris, London und New-York eigene General-Depots. Von Seite meiner Berufsgenossen ist mir die ehrenvolle Auszeichnung zu theil geworden, zum Wien-Präsidenten des allgemeinen deutschen Photographen-Vereins erwählt zu werden." Schon am 1. Dezember hatte der Erste Obersthofmeister einen Bericht der "k.k. Policei Direction in Wien" in Händen, in dem es heißt: "Friedrich Luckhardt zählt zu den hervorragendsten Fotografen des hiesigen Platzes, seine Erzeugnisse werden im In- und Auslande mit großem Beifalle aufgenommen insbesondere sind es die von ihm gelieferten großen Bilder welche allenthalben als ausgezeichnete Arbeiten beurtheilt werden. Er lebt in geordneten Verhältnissen und verfügt in Folge seines äusserst schwunghaften Geschäftsbetriebes und bei dem Vermögen welches seine Gattin besitzt über ein anständiges Einkommen." Ferner wird berichtet, Friedrich Luckhardt sei "reformirt, verheiratet, Vater zweier Kinder" (23). Am nächsten Tag wurde das Verleihungsdekret ausgestellt, das Fritz Luckhardt berechtigte, den Titel eines k.k. Hof-Photographen und als Emblem den kaiserlichen Adler zu führen.

Der Kaiser im Atelier

Die Aktivitäten der "heliographischen Anstalt des militär-geographischen Instituts" fanden bei fachlich interessierten Fotografen große Aufmerksamkeit. Luckhardt "hat ... durch seine Bemühungen, die hervorragenden Leistungen des militär-geographischen Institutes zur vollen Geltung zu bringen gewusst und demselben wiederholt Anerkennung verschafft." (24). Als nun ein Porträt des Kaisers Franz Joseph zur Verwendung in der Armee angefertigt werden sollte, wurde Fritz Luckhardt die ehrenvolle Aufgabe zuteil. "Die photographische Aufnahme des Kaisers hat zu diesem Zwecke heute der Hof-Photograph, Prof. Fritz Luckhardt vorgenommen. Der Kaiser fuhr am 20. Mai (1885) um 11 Uhr Vormittags bei dem Hotel National vor, das die Reichsfahne ausgesteckt hatte und vor dem eine grosse Menschenmenge den Kaiser ehrfurchtsvoll begrüsste. In der decorirten Thoreinfahrt empfingen

Abb. 16. Fritz Luckhardt: Johann Herbeck (1831–1877). Besonders ausdrucksvolle Porträtstudie des Komponisten und Dirigenten. Um 1870, Vergrößerung eines Fotos im Visitformat. (Sammlung Rosenberg).

der Director des militär-geographischen Institutes, FML. Freiherr v. Wanka und Herr Prof. Luckhardt den Kaiser und geleiteten ihn in das Atelier, wo eine Anzahl von Aufnahmen (Brustbilder in der Kopflänge von circa 6 cm) angefertigt wurde. Der Kaiser ist in Campagne-Uniform dargestellt. Während der Pausen zwischen den verschiedenen Sitzungen führte Herr Prof. Luckhardt dem Kaiser die neuesten Fortschritte der Photographie – Momentphotographie, orthochromatische und wissenschaftliche Photographie (zu medicinischen, astronomischen Zwecken u. dgl.) – vor, und der Kaiser zeigte sich auf diesem Felde ausserordentlich versirt. Nach beiläufig einer Stunde verliess Se. Majestät das Atelier, sich in leutseligster Weise verabschiedend." (25), berichtete stolz die Photographische Correspondenz.

Die "Originalplatte des Ah. Porträts" (24) widmete Fritz Luckhardt unentgeltlich dem militär-geographischen Institut zum Zweck der vorgesehenen Massenauflage. "Über Anregung des Reichs-Kriegsministers (wird) der a.u. Antrag gestellt, Eure Majestät geruhen dem Hof-Photographen Fritz Luckhardt in Wien, in Anerkennung seines verdienstlichen Wirkens den Titel eines kaiserlichen Rathes ag. zu verleihen." (24). Dies unterbreitet der Ministerpräsident Graf Taaffe als Leiter des Ministeriums des Innern in einem Vortrag beim Kaiser. Die "Ah. Entschliessung" der Verleihung des Titels eines "kaiserlichen Rathes mit Nachsicht der Taxe" ist von Kaiser Franz Joseph am 17. August 1886 gezeichnet.

Im 52. Lebensjahr stirbt Fritz Luckhardt völlig überraschend: "Alle seine Schätze hat er nach und nach auf Kosten seiner Gesundheit erworben, darüber war er sich klar, aber dass ihn der Tod so bald überraschen würde, daran dachte er nicht."; dies schreibt Ludwig Schrank in seinem Nachruf auf Fritz Luckhardt. Am 30. November 1894 berichtet die "Wiener Zeitung": "Gestern Abends um 6½ Uhr ist der Hof-Photograph kaiserlicher Rath Prof. Fritz Luckhardt gelegentlich eines Besuches bei einem Bekannten im Hause Nr. 2 der Engelgasse (heute Girardigasse) plötzlich gestorben." Laut Verzeichnis der "sanitätspolizeilich beschauten Verstorbenen" starb Fritz Luckhardt am 29. November 1894 an "Herzfleischentartung". Die Beisetzung erfolgte am "evangelischen Friedhof vor der Matzleinsdorfer Linie".

Fritz Luckhardt war zweimal verheiratet und hatte aus beiden Ehen Kinder.

Er "hat als einer der hervorragendsten Photographen Wien's zum Aufschwung der Photographie in Österreich wesentlich beigetragen", heißt es im Vortrag des Ministerpräsidenten Graf Taaffe. Fritz Luckhardt hinterließ eine Fülle hervorragender Porträts seiner bekannten und berühmten Zeitgenossen, die es uns heute ermöglichen, einen lebendigen Eindruck jener so vielfältigen Epoche zu gewinnen.

Abb. 17.   Fritz Luckhardt: Hans Markart (1814–1884), Maler. Um 1874, Visitformat. (Sammlung Starl).

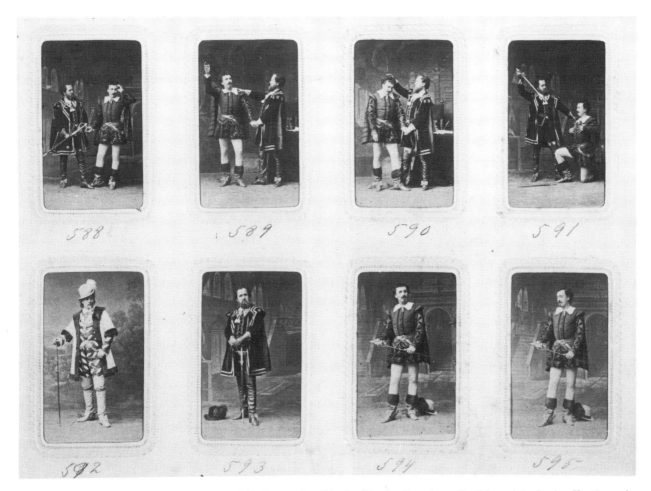

Abb. 18.   Fritz Luckhardt: Theaterszenen und Rollenporträts. Für das "Starfoto" posieren die Schauspieler in den Kostümen im Atelier. Um 1869/70, Einzelfotos Visitformat. (Sammlung Rosenberg).

Abb. 19. Fritz Luckhardt: Fr. Bleiken; aus der "Gallerie schöner Frauen". Um 1875, Cabinetformat. (Bildarchiv der Öst. National-bibliothek, PK 2151/15).

Abb. 20. Fritz Luckhardt: Frl. Adlersfeld; aus der "Gallerie schö-ner Frauen". Um 1875, Cabinetformat. (Bildarchiv der Öst. Natio-nalbibliothek, PK 2151/7).

Anmerkungen

1 Österreichisches Biographisches Lexikon 1815–1950, Hrsg. von der Österreichischen Akademie der Wissenschaften, Bd. V, Wien 1972.

2 Ludwig Schrank, Erinnerung an Fritz Luckhardt, Nachruf, in: Photographische Correspondenz, 1895.

3 Photographische Correspondenz, 1866.

4 Archiv der Stadt Wien. Hauptregistratur B 1 570, Bd. H 1858

5 Ludwig Schrank, Der Rathgeber des practischen Photographen, Wien 1875

6 Alois Nigg, Ueber den Bau der Photographischen Salons, in: Photographische Correspondenz 1867/1868

7 Dr. van Monckhoven's Vergrösserungsapparat mit Heliostat, in: Photographische Correspondenz, 1870

8 Photographische Correspondenz, 1871

9 Photographische Correspondenz, 1880

10 Ein Vortrag von Fritz Luckhardt, in: Photographische Corres-pondenz, 1893

11 Photographische Correspondenz, 1881

12 Professor Luckhardt über Negativretouche, in: Photographi-sche Correspondenz, 1889

13 Fritz Luckhardt, Das Decken der Matrizen, in: Photographische Correspondenz, 1871

14 Besteuerte Photographen in Wien, in: Photographische Corres-pondenz, 1876

15 Bericht über die 3. Deutsche Photographische Ausstellung zu Hamburg, in: Photographische Correspondenz, 1868

16 Photographirte Verlags-Cataloge, in: Photographische Corres-pondenz, 1871

17 Photographische Correspondenz, 1880

18 Fritz Luckhardt, "Verzeichnis sämtlicher Bücher...", Wien 1892

19 Haus-, Hof- u. Staatsarchiv, 20 KZ 1873

20 Photographische Correspondenz, 1883

21 Wiener Zeitung – Wiener Abendpost, 30. Nov. 1894, Haus-, Hof- u. Staatsarchiv, Partensammlung

22 Jahresversammlung der Photographischen Gesellschaft in Wien vom 6. II. 1877, in: Photographische Correspondenz, 1877

23 Haus-, Hof- u. Staatsarchiv, O Me A r 12/1870

24 Haus-, Hof- u. Staatsarchiv, 16 KZ 1886

25 Photographische Correspondenz, 1885

Eva Stille

Kinderfotos als sozio-kulturelle Quelle

Kinderfotos sind private Erinnerungsbilder, welche die Entwicklung eines bestimmten Kindes im Bild festhalten und die wichtigsten Einschnitte, wie beispielsweise Taufe, erster Schultag, Erstkommunion und Konfirmation, mitunter auch den Tod, dokumentieren.

Diese Fotografien haben jedoch über den privaten Erinnerungswert hinausgehend eine allgemeingültige Aussagekraft. Dargestellt wird nicht nur das Kind "Marie Hauser" als Täufling, Schulkind oder Konfirmandin, sondern gleichzeitig werden das Kleinkindalter, die Schulzeit und die Konfirmation, also die Lebensstationen der Kinder einer bestimmten Zeit und einer bestimmten Sozialgruppe exemplarisch dokumentiert.

Auch die für Kinder vergnüglichen Ereignisse, wie Weihnachten, Fasching, Ferienzeit und Jahrmarkt geben – fotografisch festgehalten – nicht nur die privaten Erlebnisse wieder, sondern sind gleichzeitig Bilddokument soziokultureller Äußerungen eines historischen Zeitabschnitts. Selbst scheinbar belanglose Bilder, die weder private noch öffentliche Ereignisse darstellen, sondern nur irgendein Kind, sind als Teil eines geschichtlichen Zusammenhangs interessant. Die Art der Kleidung, die Frisur und die Haltung des Kindes, aber auch die Staffage und das beigegebene Spielzeug, ja selbst Format und Tönung der Fotografie, sowie der Werbeaufdruck des Ateliers auf der Rückseite sind typisch für eine ganz bestimmte Zeit.

Das Kind beim Fotografen

Die reiche Auswahl an Kulissen und Versatzstücken bei einem renommierten Fotografen waren dem Erwachsenen meist ein Vergnügen, konnte er doch in eine ihm liebe Rolle schlüpfen, sich in der Atmosphäre des Rokoko oder der Renaissance präsentieren, im Park romantisch posieren oder vor einer dramatischen Alpenlandschaft den Helden spielen.

Abb. 1.   Theodor Huth, Frankfurt: Widerstrebender Junge im Atelier. Er schiebt trotzig die Unterlippe vor und ballt die kleine Hand zur Faust. 1878, Visitformat. (Sammlung Stille).

Für Kinder freilich glich das Stillhalten, das Aufgeputzt- und In-Szene-gesetzt-werden eher einem Alptraum. Walter Benjamin beschreibt in "Berliner Kindheit um Neunzehnhundert" eindrucksvoll seinen Aufenthalt in einem fotografischen Atelier: "Wohin ich blickte, sah ich mich umstellt von Leinwandschirmen, Polstern, Sockeln, die nach meinem Bilde gierten wie die Schatten des Hades nach dem Blut des Opfertieres. Am Ende brachte man mich einem roh gepinselten Prospekt der Alpen dar, und meine Rechte, die ein Gemsbarthütlein erheben mußte, legte auf die Wolken und Firnen der Bespannung ihren Schatten. Doch das gequälte Lächeln um den Mund des kleinen Älplers ist nicht so betrübend wie der Blick, der aus dem Kinderantlitz, das im Schatten der Zimmerpalme liegt, sich in mich senkt. Sie stammt aus einem jener Ateliers, welche mit ihren Schemeln und Stativen, Gobelins und Staffeleien etwas vom Boudoir und von der Folterkammer haben. Ich stehe barhaupt da; in meiner Linken einen gewaltigen Sombrero, den ich mit einstudierter Grazie hängen lasse. Die Rechte ist mit einem Stock befaßt, dessen gesenkter Knauf im Vordergrund zu sehen ist, indessen sich sein Ende in einem Büschel von Pleureusen birgt, die sich von einem Gartentisch ergießen. Ganz abseits, neben der Portière, stand die Mutter starr, in einer engen Taille. Wie eine Schneiderfigurine blickt sie auf meinen Samtanzug, der seinerseits mit Posamenten überladen und von einem Modeblatt zu stammen scheint. Ich aber bin entstellt vor Ähnlichkeit mit allem, was hier um mich ist." (1).

Kinder litten beim Fotografen; aber auch dieser hatte es schwer. Von unwilligen und verängstigten Kindern (Abb. 1) bei den damals relativ langen Belichtungszeiten scharfe Bilder zu machen, war wirklich nicht einfach. Die Fotografen ersannen daher allerlei Tricks, um die Kleinen bei Laune zu halten. Der bekannteste von allen ist "das Vöglein im Kasten, das gleich herauskommen wird". Ludwig Ganghofer erinnert sich noch als alter Mann daran, daß ihm als kleinem Buben um 1860 ein Fotograf ein Füchslein versprach, das aber nicht kam:

"Und deutlich ist mir der aufregungsvolle Tag im Gedächtnis geblieben, an dem ich mit meinem Schwesterchen photographiert wurde. Der Mann, der dieses Werk vollführte, hatte einen langen Knebelbart ..., (es war) der Kaufbeurer Photograph, der neben einem schwarzverhüllten Kasten stand und immer sagte: 'Passet auf, Kinderle, passet auf, da springt jetzt gleich e Füchsle raus, mit em rote Schwänzle!' Mein Schwesterl bekam ein bißchen Angst, ich guckte mit gespannter Aufmerksamkeit in das Glasauge des geheimnisvollen Kastens, aber es kam kein Fuchs heraus. Manch ein Jährchen später erzählte mir meine Mutter, ich wäre nach dieser Enttäuschung auf den Photographen zugegangen und hätte im Zorn zu ihm gesagt: 'Du bist ein Lügeschüppel!'" (2).

Der Berliner Fotograf Max Petsch begnügte sich nicht mit solch harmlosen Tricks. Er erarbeitete ausführliche Regeln für diejenigen Fotografen, die mit der schwierigen kleinen Kundschaft zu tun hatten. 1871 schrieb er in einem Aufsatz "Über Kinderaufnahmen" u.a.:

"... Der erste Eintritt ins Atelier macht schon viel aus. Alles Schieben von Hintergründen und Apparaten, Rasseln mit Gardinen u.s.w. wird das Misstrauen der Kleinen nur vergössern. Dagegen macht ein freundlich und ruhig ausgestatteter, heller Raum schon einen beruhigenden Eindruck. Von begleitenden Personen sollte nur die Mutter und allenfalls ein Mädchen eingelassen werden. Man kann in dieser Beziehung gar nicht streng genug sein ... Bei schüchternen und unartigen Kindern wird von manchen Seiten die Anwesenheit des Vaters zur Ausübung seiner Autorität für wünschenswert gehalten. Soweit darf es gar nicht kommen; es muß Alles in Güte abgehen, und selbst der böseste kleine Schlingel muss bei guter Laune erhalten werden; zu Erziehungsversuchen ist weder Gelegenheit noch Zeit, und meistens fallen dann auch solche übel aus und endigen mit Schreien und Weinen. Hier kann nur die Ruhe und Geduld des Photographen helfen... Das Einstellen muss flink gehen. In diesem Augenblick kommt es auf das geschickte Zusammenwirken zweier Personen an. Der Eine beschäftigt in einigen Schritt Entfernung das Kind, der Andere lauert am Objectiv auf den Augenblick vollständiger Ruhe. Diesen Augenblick zu einem möglichst langdauernden zu gestalten, ist nun Hauptsache. Ein Spielzeug, welches Auge und Ohr zugleich angenehm beschäftigt, plötzlich aus einer Schachtel herausgeholt, thut gewöhnlich die gewünschte Wirkung..." (3).

Spielzeug auf Kinderfotos

Die meisten Fotografen hatten in ihrem Fundus neben modischen Kulissen und Raumdekorationen auch aktuelles Spielzeug zur Ablenkung für die kleinen Kunden; aber nicht nur für diesen Zweck. Das Spielzeug diente dem Fotografen auch zur Gestaltung des Bildes. Große Objekte waren Bestandteil der Bildkomposition. Die Kinder ritten auf Zieh- und Schaukelpferden, saßen in Leiterwagen und Miniaturkutschen (Abb. 2), fuhren mit Dreirädchen und Autos, hockten an Spieltischen, hielten Reifen und schoben Puppenwagen. Die Bilder sollten dadurch lebendiger werden.

Kleinere Dinge brachten die Kinder oft auch von zu Hause mit. Meist waren es ihre Lieblingsspielsachen, Tiere und Puppen, die sie in der fremden Umgebung fest an sich drückten.

Aus der großen Spielzeugkiste des Ateliers wählten vermutlich nicht die Kinder; denn die Eltern und der Fotograf hatten bestimmte Vorstellungen davon, wie und womit das Kind auf dem Foto dargestellt sein sollte. Unabhängig von individuellen Wünschen und Ideen lag die Rolle fest, die die Kinder zu spielen hatten: Zarte mütterliche Wesen sollten die kleinen Mädchen (Abb. 4) und männlich draufgängerische Burschen die kleinen Buben sein (Abb. 3, 7). In den ersten Lebensjahren hatten, noch zu Beginn unseres Jahrhunderts, Buben wie Mädchen neutrale Kleidchen an, die sich in nichts voneinander unterschieden; aber aus den mit Namen bezeichneten Fotos geht hervor, daß Buben bereits in diesem "Röckchenalter" überwiegend mit typischem Jungenspielzeug abgebildet wurden.

Abb. 2. Carl Freund, Bonn/Elberfeld: Junge mit großem Kutschpferd des Fotografen. Im Wagen sitzt die Schwester mit der Puppe ihrer Großmutter. 1893, Cabinetformat. (Sammlung Stille).

Abb. 3. Anonym: Selbstbewußter Schiffer. Um 1905, 10,5 : 4,5 cm. (Sammlung Stille).

Abb. 4. C. Hertel, Mainz: Mädchen mit Püppchen auf dem Schoß. 80er Jahre, Visitformat. (Sammlung Stille).

Abb. 5. Rudolf Blume, Pfungstadt: Junge in aktuellem Strickanzug auf dem Schaukelpferdchen mit Geschwistern. 1914, Cabinetformat. (Sammlung Stille).

Abb. 6. Anonym. Der Bub hält sein Gäulchen mit einem Strahlen, wie es fast nur ein dem Kind vertrauter Amateur hervorlocken konnte. Um 1940, Postkarte. (Sammlung Stille).

Abb. 7. F.E. Bednarik, Wien: Bub im Lodenanzug mit Gewehr. Um 1905, Visitformat. (Sammlung Stille).

Abb. 8. Anonym: Junge und Mutter hinter Eisenbahnanlage mit großem Soldatenaufmarsch. Amateuraufnahme, um 1913, 8 : 11 cm. (Sammlung Stille).

Abb. 9. Joh. Niclou, Chemnitz: Mädchen mit großer Porzellankopfpuppe. Beide im weißen Kleid mit großem Schulterkragen. 1895, Visitformat. (Sammlung Stille).

Abb. 10. Anonym: Puppenmutter mit weicher Babypuppe. Amateuraufnahme, um 1940, 9,5 : 6,5 cm. (Sammlung Stille).

Ein kleiner Junge in Hosen hatte Pferde oder andere Tiere (Abb. 1, 5, 6), Soldaten und Gewehr (Abb. 7) bei sich, er spielte mit mechanischem Spielzeug (Abb. 8), mit Schiffen und mit Lärminstrumenten. Er wird auf einem wilhelminischen Foto eventuell mit einem Kasper, aber nie mit einer Puppe zu sehen sein.

Ein Mädchen dagegen wurde vorzugsweise mit Puppen fotografiert und mit allem, was mit ihnen zu tun hat, wie Herdchen, Puppenwagen und Puppenküche (Abb. 4, 9, 10, 11). Viele Spielsachen wurden neutral bewertet und Buben wie Mädchen haben damit gespielt, beispielsweise mit dem Ball, dem Reifen und dem Sandeimer. Auf der Schaukel sitzen auf Kinderfotos häufiger kleine Mädchen, auf dem Dreirad öfter Buben. Das Mädchen sitzt in der Miniaturkutsche, der Junge führt das Kutschpferd (Abb. 2). Das Mädchen hält ein Springseil, der Junge den Käscher und die Botanisiertrommel, den Spazierstock oder die Peitsche. Er ist verkleidet als Held, Ritter (Abb. 12), Soldat oder Indianer, das Mädchen als Rotkäppchen.

Das Kinderfoto zeigt deutlich die zugedachte Rollenverteilung, die jedoch in Wirklichkeit weniger starr gewesen zu sein scheint. Aus Autobiografien geht beispielsweise hervor, daß Geschwister und Spielkameraden oft mit den Spielsachen des anderen Geschlechts gespielt haben und nicht nur bei gemeinsamen Spielen (4).

Abb. 11. Ed. Blum, Frankfurt a.M.: Mädchen mit typischem Mädchenspielzeug, einem Puppen-Kochherd. Um 1912, 9 : 6 cm. (Sammlung Stille).

33

Abb. 12. J.G. Pohlnisch, Krems: Buben in Ritterrüstung (meist aus mit Silberpapier kaschierter Pappe). Das Ritterspiel war im 19. Jahrhundert ähnlich beliebt wie das Soldatenspiel im 20. 2. Hälfte 60er Jahre, Visitformat. (Sammlung Stille).

Auch offiziell lockerte sich die Rollenfixierung im 20. Jahrhundert allmählich: Immer häufiger werden Aufnahmen, auf denen kleine Mädchen nicht mit Puppen, sondern mit Tieren (Abb. 13), Bauklötzen u.a. abgebildet sind. Im ersten Weltkrieg tragen sie sogar Helm und Gewehr. In den 20er Jahren haben auch kleine Buben richtige Puppen im Arm, nicht nur Kasperl und Zwerge, die ihnen schon früher zugestanden worden sind.

Die Häufigkeit der auf Kinderfotos dargestellten Spielsachen entspricht nicht unbedingt ihrer wahren Beliebtheit bei Kindern. Murmel und Kreisel, zwei überaus beliebte Dinge, wurden vom Fotografen wegen ihrer Kleinheit verschmäht. Auch die Stelzen sind auf Fotografien kaum zu finden, obwohl sie den Kindern so wichtig waren wie die Reifen, die wegen ihrer dekorativen Kreisform überrepräsentiert sind (Abb. 14).

Abb. 14. Atelier Becker, Cassel: Mädchen mit einem Reifen in Fotopose. 2. Hälfte 90er Jahre, Visitformat. (Sammlung Stille).

Abb. 13. F. Schiller, Wien: Mädchen mit Bubikopf und Schleife hält ein Stoffäffchen im Arm. 20er Jahre, Postkarte. (Sammlung Stille).

Kind – Familie – Familienfeste

Mutter und Kind wurden als Einheit häufig zusammen fotografiert (Abb. 15). Ihr Bild war fürs Familienalbum bestimmt, oder als Erinnerungsfoto gedacht für die Verwandtschaft oder den Vater, den Beruf oder Kriegsdienst manchmal Monate oder Jahre von der Familie fernhielten. Selten sind im 19. Jahrhundert Fotografien vom Vater mit seinem Kind (Abb. 16), häufig die Bilder von Geschwistern (Abb. 2, 5) und Aufnahmen der kompletten Familie. Eindrucksvoller als Worte und Zahlen demonstrieren diese alten Fotos die Größe damaliger Familien (Abb. 17).

Abb. 15. Anton Grainer, Traunstein: Mutter und Kind am Tauftag. 1903, Visitformat. (Sammlung Stille).

Abb. 16. Atelier Höpfner, Inh. Fritz Möller, Halle a.S.: Vater und Tochter mit Püppchen. 1896, Cabinetformat. (Sammlung Stille).

Abb. 17. Anonym: Familienbild. In der Mitte die Eltern, links und rechts ihre fünf erwachsenen Kinder, 2 Schwiegertöchter und sechs Enkel. Der älteste Sohn ganz links hatte ausser den hier abgebildeten vier noch weitere 13 Kinder im Laufe seiner Ehe. Von den insgesamt 17 starben 3 im Säuglingsalter. München 1878, 22 : 29 cm. (Sammlung Stille).

35

Die individuelle Entwicklung des Kindes wurde zur Zeit der Atelieraufnahmen nur in ihren wichtigsten Schritten dokumentiert, ganz im Gegensatz zum 20. Jahrhundert, wo fotobegeisterte Väter keine Gelegenheit zum Schnappschuß ausließen.

Die erste wesentliche Station eines Kinderlebens war in der christlichen Familie die Taufe (Abb. 15). Der Tauftag selbst wurde im 19. Jahrhundert nur ausnahmsweise im Bild festgehalten, da die Säuglinge damals schon wenige Tage nach der Geburt getauft wurden, ein Gang ins Fotoatelier also unzumutbar war. Diese frühe Kindheitsphase dokumentiert das Foto des nackten Babys auf dem Eisbärfell, mit einer Rassel in der Hand, manchmal auch mühsam sitzend (Abb. 18), ein Hemdenträgerchen über die Schulter heruntergerutscht.

Einen nächsten Abschnitt bildete die Aufnahme in die Kindergartengemeinschaft mit einem typischen Gruppenbild (Abb. 19). Dann der erste Schultag! Mit großer Zuckertüte, mit einer Riesenbretzel oder auch nur mit dem neuen Schulranzen stellten sich die Kinder dem Fotografen (Abb. 20). Die einen schauten verschüchtert zur Seite, die anderen lächelten zaghaft, wieder andere grinsten munter bis frech. Später, wenn der Fotograf Gruppenaufnahmen der einzelnen Klassen "Zur Erinnerung an die Schulzeit" machte, verschwand das Individuum des ersten Schultags in einförmigen Reihen hintereinandergeschachtelter Schüler.

Abb. 18.   Sig. Bing, Wien: Säugling mit Trompete und Schnuller, mühsam zum Sitzen drapiert. Um 1910, Visitformat. (Sammlung Stille).

Abb. 19.   Th. Klauer, Offenbach: Kindergarten-Kinder mit Kindermöbel und Bauklötzen. Für den Fotografen war es nicht einfach, eine so große Schar in Ruhe zu halten. 1908, 22 : 29 cm. (Sammlung Stille).

Abb. 20. Anonym: "Mein erster Schulgang". Schulanfängerin mit Riesenbretzel, wie sie neben der Zuckertüte vor allem in Wiesbaden üblich war. Um 1914, Postkarte. (Sammlung Stille).

Abb. 21. Anonym. Nach der Erstkommunion posierte das Mädchen mit brennender Kerze und Gebetbuch im Fotoatelier. Um 1910, Postkarte. (Sammlung Starl).

Abb. 22. Atelier Central, Köln: Kleine Clowns beim Fotografen. Um 1910, Cabinetformat. (Sammlung Stille).

In der katholischen Familie folgte um das 9. bis 10. Lebensjahr das Ereignis der Erstkommunion, in der evangelischen Familie etwas später die Konfirmation, die gleichzeitig einen Abschluß der Kindheit, wenigstens in kirchenrechtlichem Sinne darstellt. Für diese Ereignisse wurden die Kinder neu eingekleidet (oder sie erbten zu ihrem Kummer modernisierte Festtagskleider älterer Geschwister). Eine Aufnahme zur Erinnerung an diesen Tag leisteten sich fast alle Familien (Abb. 21). Kleidung und Zubehör, wie Kerze, Kranz, Gebetbuch und Ziertaschentuch tragen zeittypische und regionale Merkmale.

Die jährlichen Freudentage für Kinder, Geburtstag, Weihnachten, Fasching, Urlaub und Jahrmarkt fotografierte der Fachmann und der Amateur. Karnevalsbilder von verkleideten Kindern wurden bis in die ersten Jahrzehnte unseres Jahrhunderts noch oft im Atelier gemacht (Abb. 22). Auf den Jahrmärkten dieser Zeit standen die Wagen und Zelte der ambulanten Fotografen; aber sie machten überwiegend übliche Porträts oder Aufnahmen mit Kulissen und Versatzstücken aus dem Jahrmarktmilieu, während Fotos von Kindern im lebendigen Jahrmarkttreiben meist von Amateuren aufgenommen wurden (Abb. 23). Professionelle Urlaubsfotos waren im 19. Jahrhundert und

Abb. 23. Anonym: Fahrt mit dem Kinderkarusell auf dem Jahrmarkt in Berlin. Der Junge, der vorne neben dem Pferd steht, trägt den für die damalige Kindermode typischen Matrosenanzug. Amateuraufnahme, 1902, 9 : 12 cm. (Besitz Frau Luise Stiegel, Rödermark).

Abb. 24. Anonym: Ungezwungener Ferienspaß am Staffelsee. Amateuraufnahme, 1937, 8,5 : 11,5 cm. (Sammlung Stille).

bis in die 20er Jahre hinein nicht selten. So waren beispielsweise der Strandfotograf an den Urlaubsstränden der Nord- und Ostseebäder eine feste Einrichtung. Er fotografierte seine kleinen Kunden mit Schaufeln und Sandeimern, mit Segelschiffen und Käschern oder im Strandkorb vor einem künstlichen Meereshintergrund oder in der Sandburg direkt am Meer.

Alle Ferienerlebnisse, die sich abseits der bekannten Kurorte und Bäder abspielten, blieben den Amateuren vorbehalten. Ihre Bilder vermitteln oft eine fröhlich gelöste Ferienstimmung in der vom Alltag befreiten Familie (Abb. 24). Auch stimmungsvolle Bilder vom Weihnachtsabend hat nicht der Fotograf, sondern der Vater oder ein fotobegeisterter Onkel aufgenommen (Abb. 25). Auf bräunlichen Fotografien kann man ausnahmsweise einen Blick in die festtägliche Feier der Bürgerfamilien in den ersten Jahrzehnten unseres Jahrhunderts tun. Die Spielsachen breiten sich unter dem geschmückten Weihnachtsbaum aus, die Familie sitzt friedlich beisammen.

Auf all diesen Familienbildern ist freilich nur eine Seite zu sehen, die friedlich harmonische, die man vorzeigt. Das aber ist ein Problem nahezu aller Fotos, ob sie nun der Fotograf oder der Amateur gemacht hat; beide bildeten nur das ab, was sie vorzeigen durften oder vorzeigen wollten.

Abb. 25. Anonym: Junge mit Geschenken unterm Weihnachtsbaum. Amateuraufnahme, um 1914, Postkarte. (Sammlung Stille).

opfern, ich – o Jammer – einen Puppenwaschtisch mit durchsichtigem, rosenbemaltem Waschgeschirr und Lisachen eine kleine Kuhherde. Mit diesen Sachen durften wir nur am Sonntag spielen, und diese Herrlichkeiten sollten wir den fremden Kespers Kindern schenken!" (5).

Die wirklich realistischen Kinderbilder armer Leute stammen nicht vom Atelierfotografen, aber auch nicht vom Amateur, denn ein so teures Hobby war nicht für alle da. Diese Bilder machte der Wanderfotograf. Er zog durch die Dörfer und in unserem Jahrhundert auch durch die Kleinleuteviertel der Großstädte. Er fotografierte die Kinder auf Treppenstufen und in Hinterhöfen (Abb. 26) und bot schon Stunden später preiswerte Postkarten zum Verkauf an. Es soll ein gutes Geschäft gewesen sein (6). Diese Postkarten sind besonders aufschlußreich, weil sie nicht so aufwendig inszeniert und die Kinder weniger herausgeputzt wurden.

Fotografische Abbildungen von den Kindern derjeniger Armen, die selbst den Postkartenpreis nicht bezahlen konnten, zu denen sich vielleicht auch nie ein Wanderfotograf verirrte, verdanken wir den Sozialkritikern unseres Jahrhunderts. Zille hat im Berlin der Jahre 1908/14 eindringliche Fotos des durch seine Zeichnungen so berühmten "Milljöh" gemacht (7).

Im Zusammenhang mit der Deutschen Heimarbeiter-Ausstellung in Berlin wurde 1925 in den Wohnungen der armen Hausindustriellen der deutschen Mittelgebirge fotografiert (8), und 1930 machte Graf Stenbrock Fermor eine Reportage über Heimarbeiter mit Fotos, auf denen Kinder zu sehen sind, die arbeiten, die zu mehreren in einem Bett schlafen, Kinder, die aus Platznot ihr Mittagessen auf dem Boden einnehmen (9).

Soziales Umfeld des fotografierten Kindes

Will man aus einem Foto Schlüsse auf die soziale Umwelt des dargestellten Kindes ziehen, so sind Atelierfotos nur bedingt geeignet: Oberschichtkinder wurden in berühmte oder zumindest gut eingerichtete Ateliers gebracht, ihre Kleidung war bis ins kleinste Detail ausgesucht modisch. Mehr kann man nicht ablesen, denn alle Kinder, ob arm ob bürgerlich, wurden fein gemacht, wenn sie zum Fotografen gingen. Eine arme Mutter, die ihr Kind ausnahmsweise fotografieren ließ, putzte es heraus so gut es ging. Im übrigen ist Kinderkleidung der "Herrschaft" oft weitergegeben worden; ein gutes Sonntagskleidchen sagt nichts über die tatsächlichen Verhältnisse. Auch Spielzeug ist kein zuverlässiger Indikator, denn üppiges Spielzeug kann aus dem Fundus des Fotografen stammen oder ein Geschenk von Wohltätern sein. Monika Hunnius, eine baltische Pfarrerstochter, schreibt, daß sie als Kind (um 1864) oft von ihren Spielsachen gerade die schönsten für arme Kinder hergeben mußten:
"... wir sollten Herrn Kespers Kindern, die wir gar nicht kannten, etwas schicken, und da man immer nur das Beste fortschenken dürfe, sollten es unsere schönsten Spielsachen sein. Karl mußte einen Eisenbahnzug

Abb. 26. Anonym: Kinder der Ballermannstraße 87 in Berlin. Von einem Wander-, bzw. "Hausierphotographen" aufgenommen. 1911, Postkarte. (Sammlung Stille).

39

Das Kind als Postkarten-Sujet

In abgrundtiefem Gegensatz zu den sozialkritischen Fotos der ersten Jahrzehnte unseres Jahrhunderts stehen die Kinder auf Glückwunschkarten dieser Zeit. Sie scheinen unter dem Motto "liebliche Kinderbilder verkaufen sich immer gut" produziert zu sein.

Diese Fotopostkarten hatten Vorläufer im 19. Jahrhundert. In den 80er Jahren erschien eine Sammelserie "Kinderleben", die in ihren vom Fotografen arrangierten Genreszenen den Illustrationen der Gartenlaube und ähnlicher Familienzeitschriften entspricht. Den Charme dieser Sammelbilder, oder gar jener künstlich/künstlerischen Kinderfotografien eines Lewis Carroll (10) in der 2. Hälfte des 19. Jahrhunderts erreichten diese Kinder-Fotopostkarten keineswegs. Aber sie entsprangen wohl ähnlichen Bedürfnissen. Auch die geschniegelten, gestriegelten Postkartenkinder sind in ihren sanften Posen Ausdruck der Sehnsucht nach "heiler" Kinderwelt, nach wohlerzogenen frommen Kindern mit zarter Haut und lieblichen Locken (Abb. 27).

Fern der Kinderwelt wurden kleine Mädchen damals auch in koketter oder träumerischer Kindweibpose aufgenommen und gerieten damit in die Nähe der kitschig-erotischen Fotopostkarte.

Im ersten Weltkrieg wurde das Kinderfoto auch für Kriegswerbung mißbraucht; das Kind lächelte als Soldat verkleidet fröhlich fürs Vaterland.

Fotografie kann zwar "lügen" wie das Gemälde oder die Zeichnung des Künstlers. Wie bei ihm gehen beim Fotografen eigene Vorstellungen und Wunschvorstellungen sowie Vorschriften der Umwelt in die Bildgestaltung ein. Außerdem können Details für die Zeit der Aufnahme untypisch sein, denn ein Kind kann einen Kragen tragen, der schon vor mehreren Jahren Mode war, oder es kann beispielsweise auf einem Foto von 1892 eine Puppe von 1850 im Arm halten (Abb. 2). Trotz allem wird bei Abwägung aller Einzelheiten die Summe sehr vieler Einzelfotos ein richtiges Gesamtbild ergeben. Durch die unbeschreibliche Fülle des bewahrten Bildmaterials lassen sich sinnvolle Sammlungen aufbauen, die weit über den ästhetischen Wert hinausgehen und Mosaiksteine soziokultureller Kenntnisse und Erkenntnisse sein könnten. Im Bereich der Kinderdarstellung würden einzelne Gebiete besonders interessant sein: Das Kind in der Familie und im weiteren sozialen Umfeld; die kindliche Entwicklung (Säugling, Kleinkind, Schulkind, Teenager), aufgehängt an den durch die Gesellschaft genormten Einschnitten (Taufe, 1. Schultag, Erstkommunion, Firmung); Spielzeug und Kinderkleidung unterteilt nach Altersstufen und Anlässen; und schließlich das Kinderbild in kommerzieller Ausnutzung, als Sammelfoto oder als Glückwunschpostkarte.

Abb. 27. Anonym. "Heile Kinderwelt" auf einer Kitschpostkarte. 1909. (Sammlung Stille).

Anmerkungen

1   Walter Benjamin, Berliner Kindheit um Neunzehnhundert, Frankfurt 1950, S. 70
2   Ludwig Ganghofer, Buch der Kindheit, Stuttgart 1909, S. 20
3   Zit. nach E. Maas, Die goldenen Jahre der Photoalben, Köln 1977, S. 94
4   Rudolf Haym, Aus meinem Leben, Berlin 1902, S. 13; Lou Andreas-Salomé, Lebensrückblick, Frankfurt 1951, S. 21; Hugo Bertsch, Bilderbogen aus meinem Leben, Stuttgart/Berlin 1906, S. 39
5   Monika Hunnius, Baltische Häuser und Gestalten, Heilbronn 1926, S. 35
6   Ellen Maas, Die goldenen Jahre der Photoalben, Köln 1977, S. 107
7   Friedrich Luft, Heinrich Zille: Mein Photo Milljöh, Hannover 1967
8   Die Heimarbeit in der deutschen Textilindustrie, Berlin 1925
9   Alexander Graf Stenbrock Fermor, Deutschland von unten (Nachdruck), Luzern 1980
10 Lewis Carroll, Briefe an kleine Mädchen, Frankfurt 1967

Zusätzliche Literatur

Wolfgang Brückner, Fotodokumentation als kultur- und sozialgeschichtliche Quelle, in: Das Photoalbum 1858–1918, München 1975
Ingeborg Weber-Kellermann, Die Kindheit, Frankfurt 1979

Viktoria Schmidt-Linsenhoff

"Körperseele", Freilichtakt und Neue Sinnlichkeit

Kulturgeschichtliche Aspekte der Aktfotografie in der Weimarer Republik

Zu Beginn der 20er Jahre trat ein bisher durch Konvention und Gesetz gleichermaßen tabuisiertes Motiv der Fotografie ins Licht der öffentlichen Diskussion: der Akt. Eine motiv- und gattungsgeschichtliche Darstellung der Aktfotografie gibt es noch nicht. Der einzige – methodisch komplexe – Ansatz dazu war das von einem Autorenkollektiv (Fotohistoriker, Sittengeschichtler, Juristen, Sexualwissenschaftler) herausgegebene Buch "Die Erotik in der Photographie". Es stammt charakteristischer Weise aus der Zeit der späten Weimarer Republik (1931). Dieser Ansatz wurde nicht wieder aufgegriffen. Von den frühen Handbuchautoren wie Anton Martin oder H.W. Vogel bis hin zu den Autoren der mit enzyklopädischem Anspruch angelegten Fotografiegeschichten von W. Baier und H. Gernsheim bleibt das Aktmotiv in den detaillierten Kapiteln zu den verschiedenen "Anwendungsgebieten" der Fotografie ausgeklammert. Fotografierte Nacktheit scheint auch in den beiden zurückliegenden Jahrzehnten der sexuellen Revolution und der Vermarktung nackter Körper durch die Kulturindustrie noch soviel Angst auszulösen, daß der unbearbeitete Themenkreis der Aktfotografie von den intensiven publizistischen Bemühungen um eine Aufarbeitung der Fotografiegeschichte so gut wie unberührt blieb (1).

Die 20er Jahre bieten sich für die Beschäftigung mit dem Thema an, da wir hier nicht auf kriminalistische Recherche und die sozialpsychologische Archäologie des Verbotenen angewiesen sind, sondern die sexuellen, ästhetischen und technischen Aspekte dieser besonderen Bildaufgabe in aller Breite öffentlich diskutiert finden.

I Voraussetzungen 1850 – 1918

Vorweg seien einige Beispiele genannt, um die Tradition der Aktfotografie unter den besonderen Bedingungen der Illegitimität und des Legitimationszwanges vor 1918 zu vergegenwärtigen. Auf diese Ausgangspunkte bezog sich die Diskussion der fachfotografischen Öffentlichkeit in den 20er Jahren, die den sozial möglichen Gebrauchswert der Aktfotografie im 19. Jahrhundert mit kulturreformerischem Bewußtsein kritisierte, erweiterte und neu legitimierte.

Die frühesten bekannt gewordenen Aktaufnahmen stammen vom Ende der 40er Jahre (2). Die beiden kolorierten Stereo-Daguerreotypien (Abb. 1, 2) sind um 1850 datierbar. Die ebenso zarte, wie messerscharfe Durchzeichnung der Details, die für die Frühzeit charakteristische "unnachahmliche Treue" der Daguerreotypien geht in der Abbildung weitgehend verloren, sie vermittelt dem Betrachter die Illusion, einer wirklichen nackten Frau gegenüber zu stehen – eine Illusion, die der plastische Effekt der Stereotechnik noch verstärkte. Die nicht mehr junge, auf den ersten Blick nicht sonderlich hübsche Frau ruht auf dem Chaiselongue in einer bequem entspannten Haltung, die es ihr erlaubt, die Expositionsdauer von zirka 15 Minuten annähernd bewegungslos zu überstehen. Das Bild präsentiert ihre Nacktheit schmucklos und schlicht. Ihr Haar ist kunstlos glatt zurückgekämmt, der stille, melancholische Blick vom Betrachter abgewendet. Nicht die für die Alltagswahrnehmung irritierende Nacktheit des Körpers, sondern das ausdrucksstarke, porträthaft individualisierte Gesicht

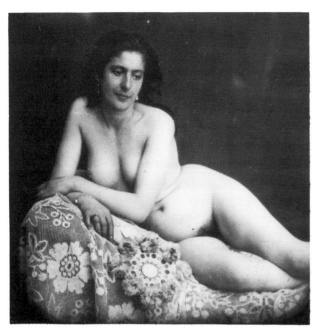

Abb. 1. Anonym: Weiblicher Akt. Stereodaguerreotypie, um 1850. (Historama Leverkusen).

Abb. 2. Anonym: Weiblicher Akt in erotischer Inszenierung. Stereodaguerreotypie, um 1850. (Historama Leverkusen).

des Modells beherrscht das Bild. Zweifellos war mit dieser Aufnahme die erotische Animation des männlichen Betrachters (Käufers) beabsichtigt. Diese Wirkung kann sich aber gegen die eindringliche Vergegenwärtigung der Aufnahmesituation nicht behaupten. Der Betrachter wird zum Zeugen dieser eher tristen, als frivolen Situation gemacht, deren Stimmung mit in das Bild eingegangen ist. Nacktheit allein, beweist diese Daguerreotypie, ist kein sexuelles Spektakel, wie es der Paragraph 184 behauptet. Der Paragraph verbot die öffentliche Verbreitung von Aktaufnahmen, da der Gesetzgeber bereits durch die fotografische Abbildung nackter Körper den Tatbestand der "Unzüchtigkeit" erfüllt sah.

Um die Bildwirkung zu erzielen, für die der männliche Konsument bezahlt, mußte der Fotograf vor der Kamera erotische Situationen schauspielerhaft inszenieren. Eine häufig gespielte, weil unmißverständlich erotische Szene ist die der Entkleidung der Frau für den Mann. Das Vorhangmotiv betont das Moment der theaterhaften Inszenierung, in deren Mittelpunkt die Geste der Entblößung steht. Selbst der einfältigste Mann wird erkennen, daß es sich um eine gespielte Szene handelt; und selbst der Klügste wird sich für einen Augenblick in der Illusion wiegen, sie werde für ihn gespielt. Das Mädchen lächelt ihn mit freundlich zur Seite geneigtem Gesicht einladend zu. Die Kamera hat die Position eines vor ihr knienden Liebhabers bezogen, dem sie "ihre Gunst gewähren" wird.

Erotische Inszenierung weiblicher Nacktheit für ein männliches Publikum beherrschte bis zur Jahrhundertwende weitgehend die Produktion. Die Gründerzeit war gleichzeitig eine Epoche verschärfter Sexualunterdrückung und der Kommerzialisierung der Fotografie. Sie gab mit dem Auftrieb männlich voyeuristi-

scher Bedürfnisse zugleich einem Markt Auftrieb, der diese Bedürfnisse mit dem Warenangebot erotischer Gebrauchsfotografie befriedigte. Soziale Legitimationen, wie "Kunst" und "Wissenschaft" wurden gefunden, um die den Vertrieb und Handel eingrenzenden Konventionen und Gesetze zu umgehen. Als "Modellstudien", "Akademien" oder ethnografisches Studienmaterial konnte die erotische Aktfotografie auf der Verteilerebene von Warenhäusern und Großateliers zur Massenware werden (4). Allein die abgebildete Doppelseite aus dem harmlosen Herrenjournal "Das kleine Witzblatt" aus dem Jahr 1900 bietet in acht Anzeigen Aktfotografien an, unter anderem unter der schwachen Tarnung: "... nach lebenden Modellen für Künstler" (Abb. 3).

Die Kunstfotografiebewegung bot eine neue Stufe der sozialen Anerkennung und Legitimation für die Aktfotografie. Seit den 90er Jahren konnten Amateure und Berufsfotografen ihre Bemühungen um den "künstlerisch veredelten" Akt gelegentlich in der Fachliteratur und auf Ausstellungen präsentieren, ohne in Zusammenhang mit der trivialen sexuellen Gebrauchsfotografie zu geraten, die sie moralisch und sozial diffamiert hätte (5). Die Umdeutung der Fotografie von einer perfekten Reproduktionstechnik in ein Medium des künstlerischen Ausdrucks erlaubte den Fotografen an die Tradition der Aktmalerei anzuschließen. Die Imitation der handwerklichen Bildtechniken der Ölmalerei und Druckgrafik war der Freibrief, die nach wie vor erotisch inszenierte Nacktheit öffentlich vorzeigen zu dürfen. Die "künstlerische Veredelung" der ästhetisch, wie sittlich gleichermaßen anstößigen banalen Nacktheit galt als Hauptleistung des Aktfotografen. Nach der Logik der Kunstfotografie idealisierte die "bildmäßige Auffassung" mit der malerischen For-

30 Das kleine Witzblatt.

Hygienische Schriften:

Krankheiten der Nase	M. 1,50	100 Ratschläge für Nervenkranke	M. 1,—
Flechten u. ähnliche Hautauschläge	„ 1,50	Fussleiden und Fusspflege	„ 1,50
Kur für Magere	„ 1,50	Kopfschmerzen und Migräne	„ 1,50
Stottern, Stammeln, Lispeln, Näseln	„ 1,—	Krebskrankheiten	„ 1,—
Krankheiten des Halses etc.	„ 1,50	Stuhlverstopfung	„ 1,50
Nervöse Magenerkrankungen	„ 2,—		

Gegen Voreinsendung oder Nachnahme des Betrages zu beziehen durch
W. Mähler, Leipzig 24.

Gratis. Hochinteress. Sendung geg. Rückmarke, verschl. 30 Pfg. Geg. 1 Mark Doppelbriefsend. m. gröss. Auswahl. **Fliegender Anzeiger**, Hamburg 50.

Nur für Herren! Interess. Brosch. m. pik. Beigabe nur 1 M. „Die Ehe“ mit Abbild. von Dr. Lewis M. 1,50. Wenn Beide zusamm., gratis „Kl. Brautnacht“ Columbia-Verlag (W. Digel), Hamburg 50.

25 Stereoskop-Bilder interessant 3 Mk., Stereoskop-Apparat 2 Mk., prima Reisszeuge, Goerz Triëder-Binocle. Preisliste grat. **Paul Falk**, Berlin 222, Wasserthorstrasse 17.

Gummi-Waaren sämmtliche hygienische Bedarfsartikel. Broschüre 50 Pfennig geschlossen. **Mosenthin's Versandhaus**, Berlin 8., Sebastianstrasse 48.

Die Schönheit der Formen (Büste) u. wie man sich dieselbe verschafft Mark 1,60. **Edmund Günther**, Weimar 1.

Dankbar werden Sie mir sein für Uebersendung meiner neuesten illustr. Preisliste gegen 10 Pf.-Marke. Berlin 62, Potsdamerstr. 131. **G. Engel**, Hygienisches Versandhaus

Liebe Liebe Liebe Habsburgische Mesalliancen u. Liebesaffairen von Graf Ketösy behandeln in geistvoll pikanter Weise die Herzensgeschichten von Kronprinz Rudolf, Kronprinzessin Stephanie, Erzherzog Ferdinand u. v. a. Preis 3 M. Zu beziehen v. **O. Gracklauer, Leipzig 5**, oder durch alle Buchhandlg.

Budapester Specialitäten. Erzählungen für Gourmands, Memoiren einer Sängerin, 2 Bde., Frische Austern, Die lustigen Weiber von Budapest, Galante Abenteuer eines Husarenofficiers, Pariser Lachkabinet, Er. Leidenschaften, Excentrische Geschichten, Im Spinngewebe der Halbwelt, Aus dem Leben einer Bauchtänzerin, 2 Bde., à Band 2 Mark. Weibliche Nachtfalter, Mk. 4,— Die Liebesabenteuer des Chevalier von Faublas, Mk. 3,—. Johann Orth, Mk. 3.—. Alle 15 Bde. Mk. 30,—. franco. 50 Miniaturen für Künstler Mk. 1,50. **EDUARD HETZ**, Brandau i. Böhmen. Adresse genau schreiben, ohne Zusätze.

Hygienische Bedarfs-Artikel Preisliste grat. u. frco. in verschl. Couvert. **Apoth. v. Manikowsky, Berlin 27 S.**

Weibliche Schönheiten! 30 Visitbilder nur M. 1.— Briefm. **„Verlag Friedel“, Berlin C. 19.**

12 verschied. Ansichtskarten m. Porträts u. Original-Couplets versendet f. M. 1 — (einzeln zuadressirt 36 bezw. 60 Pf. mehr) Kunstverlag Wilh. Friede, Braunschweig 0. 1.

Act-Photographien nach lebenden Modellen für Künstler. 40 kleine Photograph. M. 2,—. Kunstverlag **Bavaria, MÜNCHEN, Auenstr. 15.**

Das kleine Witzblatt. 31

+ Sicher und schnell + beseitigt ohne schädl. Mittel und Berufsstörung Haut- und Harnleiden, speciell veraltete Fälle, Schwächezustände. **Herrmann**, Apotheker, Berlin, Georgenkirchplatz 21. Prosp. u. Ausk. diskr. u. fr.

Sanitäts-Bazar von W. A. Fischer, Frankfurt a. M 4, versendet illustrirt. Preisl. gratis u. franco.

Ein wahrer Schatz für alle durch jugendliche Verirrungen Erkrankte ist das berühmte Werk: **Dr. Retau's Selbstbewahrung.** 81. Aufl. Mit 27 Abbild. Preis 3 Mark Lese es Jeder, der an den Folgen solcher Laster leidet. Tausende verdanken demselben ihre Wiederherstellung. Zu beziehen durch das Verlags-Magazin in Leipzig, Neumarkt Nr. 21, sowie durch jede Buchhandlung.

Curiositäten! 30 schöne Muster Visit-Format M. 1,—. Cabinet Serien von M. 3,— an. **K. Jörgensen**, Berlin SW. 12 n.

Gratis Interessante Sendung geg. Retourm., verschl. 30 Pf. Kunstverlag A. Kahn, Hamburg 3.

Photographien in allen Genres bei Einsendung von fl. 1,10 50 Musterbilder incl. Kataloge. **Ida Herzog**, Budapest, Bethlengasse 12.

Schöne Weiber 30 Visit gegen M. 1,20 Brfm. Verlag **„VENUS“, Berlin 24**, Friedrichsgracht 50.

Pariser Photos hochinteressante Cabinets, Probef. 1,20 Briefm. **D. Michaelis, Berlin W. 62/5.**

Fidelen Herren! 24 ff. Bilder Visit-Format Mk. 1,—, Briefm. J. Behrend, Friedrichstadt (Schleswig).

Hygienische Bedarfs-Artikel Preisliste gratis und franco. **W. Krüger**, Berlin SW., Lindenstr. 95.

SIE MÜSSEN Preisliste über Bedarfsartikel (Neuheiten) verlangen. Per + Band gratis und franco **R. Oschmann**, Konstanz 100.

Photographien. Probesendung Mk. 1,00 Briefmarken. **F. O. Harks, Hamburg.**

Hochinteressante Bücher! Cataloge gratis u. fr. Fürstenwalder Bchh. **L. Waldau, Fürstenwalde** (Spree).

Das von **Frau Anna Hein**, früheren Oberhebamme a. d. Kgl. Universitäts-Frauen-Klinik zu Berlin verfaßte Buch **„Von der Frau für die Frau“** verpackt 50 Pf., offen 30 Pf. (Briefmarken), sendet das Versandhaus **hygien. Bedarfsartikel** von Frau Anna Hein in Berlin, Oranienstr. 65.

Fin de siècle Katal. „1900“ Lektüre jeder Art. Photogr. phien, Aktstudien, Kunstsachen, Scherz-, Juxartikel, Kuriositäten, orig. Neuheit. 30 (briefl. 50) Pf. bei Bestellung vergütet. **Moderne Bücherei Strassburg (Els.).**

O, diese Weiber! 30 ff. Visites gegen M. 1,— Briefmarken. „Kunstverlag“, Berlin, Grünstr. 9 part.

Billige Briefmarken Preislisten gratis bei A. Bestelmeyer, Hamburg.

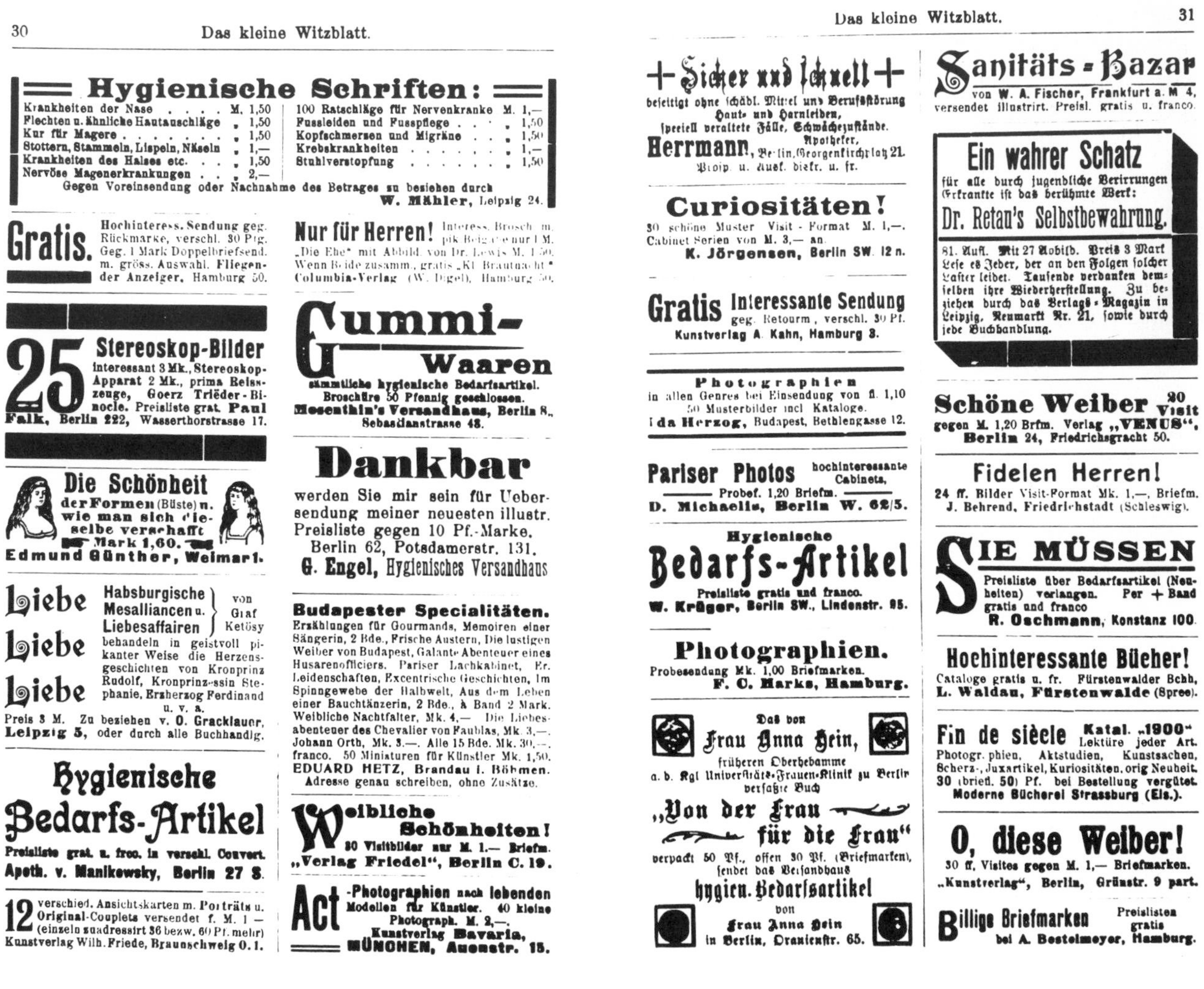

Abb. 3. Anzeigenseite aus: Das kleine Witzblatt, 1900.

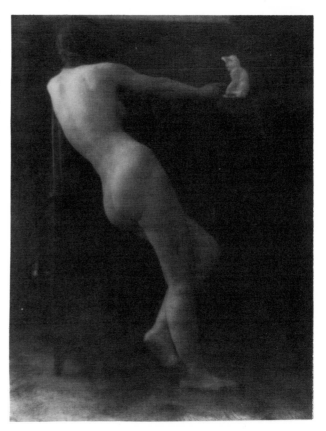

mensprache des Impressionismus und ihren symbolistischen Bilderfindungen das Lustobjekt ”Frau” zum zeitlosen Schönheitsideal. Der Bromöldruck von Heinrich Kühn (Abb. 4) zeigt eine junge Frau, deren Gesicht von ihrem offen herabhängendem Haar verborgen ist. Ihr Körper ist von den Spuren des Korsetts gezeichnet. Unbequem lässig steht sie an ein kaum erkennbares, jedenfalls Wohlstand suggerierendes Möbel gelehnt. Sie deutet auf eine kleine Porzellankatze mit einer Geste, die halb neckisch verspielt, halb bedeutungsvoll pointiert erscheint. Ihr nackter Körper und die Nippesfigur – ein Tier, das ikonografisch Geilheit bedeutet – leuchten als Hauptmotive weiß aus dem schummerigen Halbdunkel des Interieurs hervor. Die erotische Thematik des Bildes ist zwar verschlüsselt, aber letztlich ebenso unmißverständlich, wie die der Stereo-Daguerreotypie (Abb. 2). Und trotzdem galt diese ”künstlerische” Gestaltung des Themas durch den Darstellungsmodus ”Kunst” durch Welten von der erotischen Gebrauchsware getrennt. Diese Logik der sozialen Legitimation akzeptierten die staatlichen Zensurstellen ebenso wie der gesellschaftliche Sittenkodex. Angesichts der sinnlich-erotischen Schwüle dieser und der meisten künstlerischen Aktaufnahmen der Jahrhundertwende erscheint sie uns heute als naive Fiktion der bürgerlichen Doppelmoral.

Abb. 4. Heinrich Kühn: Weiblicher Akt. Bromöldruck, um 1906, 29,2 : 23,3 cm. (Museum Folkwang Essen).

Aufnahme um 1900 (Abb. 5) zeigt das Modell und die Kleinplastik, für die es "gestanden" hat, in identischer Pose auf einem Sockel zum Vergleich. Die Fotografie beschreibt den Anteil des Modells am Kunstprodukt – und zwar mit schneidender Schärfe – als minimal. Unbarmherzig bis hin zu den schmutzigen Fußsohlen arbeitet der Fotograf die Diskrepanz zwischen der Unvollkommenheit des Körpers der wirklichen Frau und seiner Idealisierung in der Skulptur heraus. Die Figur erscheint uns heute ebenso belanglos und dekorativ, wie der Körper der Frau von Interesse. Die ihr von einer männlichen Phantasie aufgezwungenen Gesten infantiler Weiblichkeit denunzieren nicht ihren Körper als "häßlich", sondern die Phantasie des Bildhauers als infantil.

Die zweite, ebenfalls anonyme Aufnahme (Abb. 6) entstand um 1900 in einer Münchener Ateliergemeinschaft. Auf einen Hocker gestellt überragt das nackte Modell die Gruppe der Künstler. Zwei der jungen Künstler sind unter dem Arbeitskittel korrekt als Bürger gekleidet; alle präsentieren sich mit unverwandt ernstem Blick selbstbewußt dem Betrachter. Die überdeutliche Symbolik des gestellten Bildes als Allegorie der Kunst erhebt das Modell zur Muse. Das Erinnerungsbild entbehrt nicht einer unfreiwillig-liebenswürdigen Komik. Die anspruchliche Selbstdarstellung der Künstler ist trotz allem liebenswürdig, weil sie das junge Mädchen in ihre Ateliergemeinschaft und deren Darstellung im Freundschaftsbildnis mit einbeziehen.

Abb. 5. Anonym: Modell in einem Bildhaueratelier. Um 1900, 16,5 : 10,5 cm. (Historisches Museum Frankfurt).

Der von dem Pornografieparagraphen 184 verbotene Markt der erotischen Sachfotografie und der zwar legitime, aber quantitativ eingeschränkte Markt fotografischer Imitationen von Venusbildern in der Tradition der Salonmalerei markieren die Hauptlinien der Entwicklung bis zu Beginn der 20er Jahre. Dazwischen blieb ein schmales Feld der kommerziellen Verwertung entzogen: die private Dokumentation. Hauptsächlich in dem Milieu der Bohème entstehen Atelieraufnahmen, die das alltägliche Zusammensein von Künstlern und Modellen in technisch oft wenig anspruchsvollen Erinnerungsbildern festhalten, wie etwa die von Heinrich Zille (6). Das männliche Kameraauge vermag hier auf die gewohnte Perspektive der Besitzergreifung zu verzichten. Weibliche Nacktheit im Atelier signalisiert nicht die Verfügungsgewalt des Mannes über den Körper der Frau; sie ist das Arbeitskleid des Modells, so wie der Kittel Arbeitskleid des Malers ist. Im Atelierbild gewinnt der Akt zuweilen den sachlich kühlen Charakter sozialer Dokumentation oder – seltener – den von Sympathie getragenen Gefühlswert des Freundschaftsbildes. Die anonyme

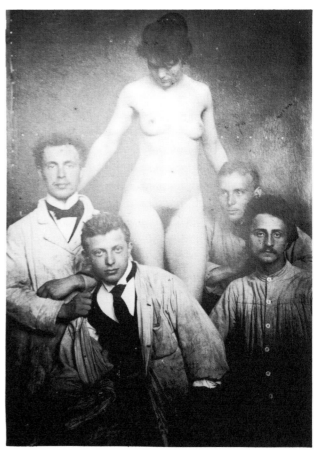

Abb. 6. Anonym: Erinnerungsbild einer Münchener Ateliergemeinschaft. Um 1900, 16 : 11 cm. (Privatbesitz).

Abb. 7. Verlagsanzeige der Firma Dieck & Co. für illustrierte Schriften zur Körperkultur. Um 1926.

II Aktfotografie und Reformbewegung

Eine größere Zahl von Publikationen und fotografischen Ausstellungen, Wettbewerben etc. dokumentieren das Auftauchen des Genres über der Gürtellinie nach etwa 1920, sein Heraustreten aus der verschwiegenen Intimität und der kommerziell ausgebeuteten Sexualnot. Der Fotograf Walter Süssmann schreibt rückblickend 1931: "Die Aktfotografie, in früheren Jahren ein verschwiegenes Seitenzimmerchen der Lichtbildkunst, ist dem modernen Menschen kein fremdes Gebiet. Die Magazine, illustrierten Zeitschriften enthalten eine große Anzahl solcher Bilder, die sich eines regen und weitverbreiteten Interesses erfreuen.... Es kann also heute keine Rede mehr davon sein, daß die Öffentlichkeit dem photographischen Aktbild mit prüden Augen gegenübersteht ... Das ernstzunehmende Aktbild entsteht unter keinen anderen Gesichtspunkten als jedes andere gute Foto auch" (7). Die öffentliche Anerkennung der Aktfotografie äußert sich nicht allein in zahlreichen Aufsätzen von Fotografen hauptsächlich zu den technischen Problemen (die leidige Modellfrage!) dieser besonderen Bildaufgabe,

die eben dadurch viel von ihrer Besonderheit verliert (8). Sie kommt auch zum Ausdruck, wenn die Fotofirma "Satrap" etwa für eine Heimlampe mit einer gelungenen Aktaufnahme wirbt, ohne das Motiv in dem begleitenden Text legitimieren zu müssen (9), wenn Sachbücher wie "Das Knipsbuch des Sportsmanns" (10) oder Verlagsanzeigen für Schriften zur modernen Körperkultur kommentarlos Aktaufnahmen publizieren können (Abb. 7). Die zahlreichen Aktmappen der 20er Jahre müssen sich nicht mehr als Modellvorlagen für Künstler oder als wissenschaftliche Werke im Dienste der Kulturgeschichte tarnen. Mit Selbstverständlichkeit schreiben renommierte Fachzeitschriften wie "Das Atelier des Photographen" (1927), "Photofreund" (1928) oder "Die Linse" (1930) Wettbewerbe für die "schönsten Aktlichtbilder" aus, deren Ergebnisse ausführlich publiziert und kommentiert werden. Erfolgreiche Berufsfotografinnen wie Lotte Herrlich und Germaine Krull und Berufsfotografen wie Magnus Weidemann, Gerhard Riebicke, Franz Fiedler, H. Schieberth oder Franz Drtikol spezialisieren sich vorübergehend oder dauerhaft auf das Aktmotiv.

Die Zeitgenossen begrüßen das Heraustreten der Aktfotografie an das Licht der Öffentlichkeit emphatisch als einen Fortschritt von kulturrevolutionärem Ausmaß. Otto Goldmann fragt in seinem Beitrag "Das Aktbild und die Zensur" 1931, was denn zwischen "Einst und Jetzt" geschehen sei, "daß wir heute ein Aktbild betrachten können, ohne den Blick zu Boden zu senken oder gar in Verzweiflung über teuflische Versuchungen zu geraten?" Das "Rätsel dieser Wandlung" ist: "Wir sind nicht etwa schamlos geworden, sondern — frei!" (11). Die Lockerung der sittlichen Konventionen und die liberalisierte Anwendung des § 184 bedeutete für den "modernen Menschen" der Weimarer Republik die Überwindung der jetzt als "verlogen" erkannten bürgerlichen Doppelmoral. Die Bereitschaft von Fotografen und Publikum, sich mit der durch den Anblick fotografierter Nacktheit allemal erfolgten Irritation auseinanderzusetzen, hat ihre Ursachen außerhalb der Fotografiegeschichte in dem politischen und kulturellen Klima der 20er Jahre.

Forderungen nach Sexual- und Ehereform, Anerkennung der weiblichen und kindlichen Sexualität, nach Kleider- und Lebensreform hatte bereits seit den 90er Jahren ein begrenzter Zirkel von Intellektuellen gefordert. Literaten, Wissenschaftler, Künstler und Sozialreformer formulierten ihre Kritik an der wilhelminischen Kultur von unterschiedlichen weltanschaulichen Positionen her; einig waren sie sich aber in der radikalen Ablehnung der politischen und sozialen Ordnung des Kaiserreiches. Während die Jugendbewegung zu einer relativ breiten Massenorganisation mit verschiedenen Fraktionen werden konnte, blieben die für Körperkultur, Lebens- und Sexualreform engagierten Gruppen sektiererische Randerscheinungen. Am besten erforscht sind heute der Kreis um den Maler Hugo Höppner (Fidus) und die Kolonie "Monte Verità" bei Ascona (12). Erst in dem nach der Novemberrevolution entstandenen Klima der politischen Liberalisierung auch im Kultursektor verloren diese Ansätze ihren subkulturellen Charakter und konnten popularisiert werden. Der für den Aufschwung der Aktfotografie entscheidende Komplex der Körperkultur umfaßte außer der Nacktkultur im engeren Sinn Sport und Gymnastik für beide Geschlechter, Volkstanz und Ausdruckstanz, Kleiderreform und ein neues erotisches Ideal. Die neue Erotik propagierte die tendenzielle Angleichung der Geschlechter und die Versachlichung des Sexus. Erotische Schönheitsideale waren nicht mehr die frivol geschnürte, geistig infantile "Dame", sondern das gelenkige Sportsmädel mit androgynen Körperformen; nicht mehr der soldatisch verhärtete und disziplinierte Offizierstypus, sondern der athletische Naturbursche oder der schicke Sportkamerad. Wilhelm Warstatts Buch "Der schöne Akt" (1929) kann als theoretisches Standardwerk der neuen Aktfotografie bezeichnet werden. Warstatt schreibt der Aktfotografie für die Durchsetzung des "sportlich-gymnastischen Schönheitsideals" die bedeutende Funktion eines volksbildnerischen Propagandainstrumentes zu: "Ohne die Photographie hätte die sportlich-gymnastische Bewegung sicherlich nie die gewaltige

Entwicklung und Ausdehnung gewonnen, die sie tatsächlich erreicht hat". Für den Autor spielt "die Aktfotografie als Verkünderin und Verbreiterin eines neuen, natürlichen Schönheitsideals im Kulturleben unserer Zeit" eine zentrale Rolle (13).

III Neue Themenstellung – Natur statt Sexus

Wie verhalten sich die Bilder zu diesem kulturreformerischen Anspruch? Die in der fotografischen Fachliteratur und den Periodika für Körper- und Lebensreform als vorbildlich publizierten Bildbeispiele überraschen zunächst mit dem großen Anteil traditioneller, künstlerisch-erotisch inszenierter Aktstudien. Viele auch renommierte Fotografen, wie z.B. Franz Fiedler, Franz Grainer oder H. Schieberth halten an der Tradition der Atelierinszenierung mit den kaum modernisierten Mitteln der Kunstfotografie fest (Abb. 8, 9). Andere, wie die in Deutschland bekannten Fotografen Franz Drtikol (Prag), Josef Pécsi (Budapest), Arthur Benda (Atelier d'Ora, Wien), Schuwerack oder der Wiener P. Feldscharek (Abb. 10, 11) gehen zwar nicht über den Rahmen der gutbürgerlichen, kultivierten erotischen Unterhaltungsbilder hinaus, modernisieren jedoch radikal die Requisiten der Inszenierung im Sinne expressionistischer Bühnenbilder und des art deco. Die Schlankheit der Garçonne-Modelle verbindet sich mit den abstrakten Flächenmustern der Hintergründe zu einer raffinierten Eleganz, neben der Grainers Brokatkissen und Perserteppiche altmodisch erscheinen. Diese Fotografen beziehen ihre ästhetischen Anregungen aus den aufblühenden Revuen, dem Technizismus und der Ästhetik des großstädtischen Vergnügungsmilieus. Der Unterschied zur wilhelminischen Aktfotografie ist ein stilistisch–formaler. Der soziale Gebrauchswert der Aktaufnahme, die männlich sexistische Perspektive auf den erotisch inszenierten weiblichen Körper bleiben sich gleich – auch wenn sich der Stil des Dekors und das Körperideal geändert haben.

Aufschlußreicher für die fotografische Umsetzung des revolutionierten Körperbewußtseins sind zwei für die Aktfotografie der 20er Jahre charakteristische Bildprägungen: der Freilichtakt und die Ausdrucks- oder Bewegungsstudie. Der Freilichtakt zeigt unbekleidete Menschen in Gärten und Landschaften. Die Ausdrucksstudie stilisiert das Modell zur Figur in einem idealen, gegenständlich nicht definierten Raum. An der Herausbildung dieser beiden Bildtypen waren wesentlich Fotografinnen beteiligt. Ohne diesen hier eine besondere, geschlechtsspezifische Innovationsleistung zuschreiben zu wollen, bleibt das bemerkenswerte Faktum ihres Engagements auf einem Gebiet, das bisher reine "Männersache" war. Diese Tatsache deutet bereits an, daß die Aktfotografie in den 20er Jahren den engen Zirkel der sexistischen Obsession durchbricht. Die Auseinandersetzung mit einem narzistischen Körpergefühl, die vermeintliche Natürlichkeit der Nacktheit war ein auch Frauen zugängliches Thema (14).

46

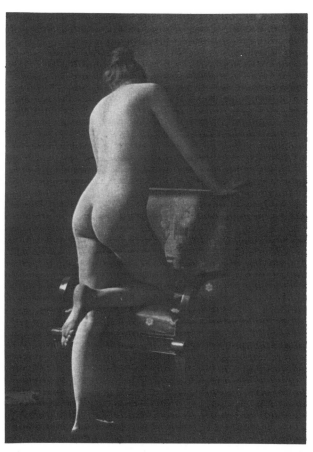

Abb. 8.   Franz Grainer: Künstlerische Aktstudie (aus: P. Landow, Das Weib – Natur und Kultur, Berlin 1925).

Abb. 9.   H. Schieberth: Künstlerische Aktstudie. Postkartendruck. (Sammlung Starl).

Abb. 10.   Franz Drtikol: Aktstudie (aus P. Landow, Das Weib – Natur und Kultur, Berlin 1925).

Abb. 11.   P. Feldscharek: Studie aus einem Aktalbum. Wien, um 1927. (Historisches Museum Frankfurt).

Abb. 12.   Germaine Krull: Ausdrucksstudie "Huldigung" (aus der Aktmappe: "Dämmerung", München 1924).

IV Ausdrucksstudien – "Körperseele"

Die Ausdrucksstudien von Germaine Krull und Erna Lendvai-Dircksen (Abb. 12, 13) wurden 1925 in dem luxuriös ausgestatteten Tafelwerk von Peter Landow publiziert, das den Titel trägt "Das Weib – Natur und Kultur" (13). Die Fotografie "Huldigung" von Germaine Krull entstand 1924 für eine ihrer vier in diesem Jahr erschienenen Aktmappen. Die Herkunft der Aufnahme von Lendvai-Dircksen ist unbekannt, ihre Entstehung nicht lange vor 1925 anzunehmen.

Die Fotografinnen haben ihre Modelle als skulpturenhafte "Figuren" ins Bild gesetzt. Sie verzichten auf jede anekdotische Motivierung ihres Nacktseins, auf seine Ausschmückung und die dekorative Inszenierung. Die fotografierten Frauen scheinen – ganz auf sich selbst konzentriert – die Kamera zu ignorieren. Ihre Körper sprechen keine Alltagssprache und erzählen keine der altbekannten Geschichten (etwa: nach dem Bade, vor dem Spiegel, in Erwartung etc.). Ihre Gesten artikulieren eine subtile, dichterisch überhöhte Kunstsprache. Die nach oben geöffneten Handflächen, die zurückgehaltene Dynamik der Kauernden sprechen von der "Körperseele", um einen von Fritz Giese geprägten Begriff der Körperkulturbewegung zu ver-

wenden (15). Die den Modellen angewiesenen Bewegungen sind als gesteigerter Ausdruck einer gesammelten, körperlichen Selbsterfahrung fotografiert. Die Bilder argumentieren für die geistig-seelischen Werte eines tänzerisch und gymnastisch sensibilisierten Körpererlebens, das mit der turnerischen Leibesübung nicht zu vergleichen ist. Besonders die Aufnahme von Germaine Krull hat eine meditative, nahezu übersinnliche Bedeutungsebene (vergegenständlicht in den Schleiern), die freilich unkonkret und vage bleibt. Die Journalistin Clara Höfer-Abeking kommentierte die Aktmappe "Dämmerung", in der die Aufnahme zuerst erschien, 1924 mit den Worten: "Diese vierundzwanzig weiblichen Akte wirken natürlich und selbstverständlich und nicht wie hunderttausende ältere ausgezogen, sinnlich oder lüstern; denn nicht die Reize des Körpers als solche werden dargeboten, sondern der Körper als Tempel der Seele, als Ausdruck des Geistigen." (16). Die Fotografin selbst betont die über "häßliche Hintergedanken" erhabene transzendentale Botschaft ihrer Aktaufnahmen, wenn sie sagt: "Ich versuche den nackten Menschen ohne Häßlichkeit und Hintergedanken darzustellen, so schön und echt wie möglich, immer mit der Perspektive, daß hinter den Dingen noch etwas steht, das wir nicht kennen und was

48

Abb. 13. Erna Lendvai-Dircksen: Ausdrucksstudie (aus: P. Landow, Das Weib – Natur und Kultur, Berlin 1925).

Klischees der Großstadtfeindschaft: "Wir haben die Folgen einer naturfremden, vorzugsweise intellektuellen Kultur, die uns in die Steinwüste der Großstadt versetzte, am eigenen Leib verspürt, wir haben der Mode, dem Kinde dieser naturfremden Kultur jahrzehnte- und jahrhundertelang gestattet, unseren Körper von Licht und Luft abzuschließen, ja, ihn seiner natürlichen Form und Schönheit zu berauben, ihn zu verbilden und zu verunstalten. Aber die Natursehnsucht, die im Herzen eines jeden Menschen lebt, ließ sich auf die Dauer nicht völlig unterdrücken ..." (18).

V Freilichtakte – regressive Utopien

Die Fotografie von Lotte Herrlich "Am Waldsee" (Abb. 14) entstand 1926 und wurde in dem bekanntesten Publikationsorgan der Körperkulturbewegung, der Zeitschrift "Die Schönheit" im gleichen Jahr publiziert. Die Aufnahme zeigt zwei nackte Frauen, die im hellen Sonnenlicht an einem freundlichen Sommertag am Seeufer ausruhen. Das Motiv ist in einer einfachen, konventionellen Bildkomposition vorgetragen. Eine Baumsilhouette rahmt den Fernblick, die beiden Figuren sind in spiegelbildlicher Ergänzung aufeinander bezogen: Vorder- und Rückenakt, sitzen und stehen, offenes und gelöstes Haar unterscheiden sie voneinander. Die Öffnung des Körpers

wir doch alle fühlen". (17). Weniger übersinnlich als Germaine Krull versucht Erna Lendvai-Dircksen die von der "häßlichen" Erotik gereinigte "Körperseele" der neuen Frau in klassizistischer Bildtradition zu gestalten. Ihr Modell kniet zwar auf einem Leintuch, das die Ateliersituation andeutet, aber die reliefhafte Einbindung der Figur an den grafisch-grobkörnig gestalteten Hintergrund läßt an gemeißelte antike Giebelfiguren denken. Die Ausdruckswerte dieser Bewegungsstudie sind: gestraffte Spannkraft, Energie, Disziplin und geistige Wachheit. Es sind körperliche und intellektuelle Tugenden, die ein männliches Kameraauge kaum an dem Körper dieses Modells entdeckt hätte.

Beiden Aufnahmen gemeinsam ist die Interpretation des weiblichen Aktes zum Bildzeichen einer wiedergewonnenen Harmonie zwischen Körper und Seele. Die Nacktheit wird Ausdruck der Versöhnung des Menschen mit der eigenen Natur. Die mystischen und antikisierenden Momente in den Bildern kennzeichnen diesen Zustand der Harmonie als Utopie. Zugleich sind sie Formeln des Protestes gegen die Entfremdung der realen Körpererfahrung von der Natur im Zeichen von Industrialisierung und Verstädterung. Der Bildtypus der Ausdrucksstudie ist Kritik an der Körperfeindschaft der modernen Arbeitswelt, der Großstadt, der Technik. Den gleichen antiindustriellen und antizivilisatorischen Affekt formulieren die Fotografen der Freilichtakte in einer ästhetisch naiveren, didaktisch zugespitzten Bildsprache. Warstatt beschrieb "Ausdrucksstudie" und "Freilichtakt" als vorbildhafte Sonderfälle der Aktfotografie. Seine einleitenden kulturkritischen Bemerkungen enthalten die gängigsten

Abb. 14. Lotte Herrlich: Freilichtakte "Am Waldsee" (aus: Die Schönheit 1926, S. 254).

49

zum Sonnenlicht durch die erhobenen Arme war ein symbolisch bedeutsames Lieblingsmotiv der Freilichtaktfotografie. Lotte Herrlich versucht – notdürftig – diese symbolische Geste durch den Griff in die Zweige und das Beschatten der Augen zu motivieren. Das nüchterne Tageslicht, die gleichmäßig trockene Durchzeichnung der Details und der weitgehende Verzicht auf die ästhetischen Mittel der Kunstfotografie vermitteln dem Betrachter den Eindruck, daß die schlicht abgebildete Situation real und alltäglich sei, daß sie wirklich stattgefunden hat und jederzeit wiederholbar ist. An Stelle der seelisch-geistigen Hochspannung der Ausdrucksstudie – die auch Lotte Herrlich kultiviert hat – ist die Aufnahme "Am Waldsee" unpathetische Sachfotografie. Sie behauptet, spazierengehen im unbekleideten Zustand sei selbstverständlicher Alltag der beiden Frauen. Die Freilichtaktfotografen zeigen Menschen, die in der Regel die dem Betrachter vertrauten Freizeitbeschäftigungen im nackten Zustand nachgehen. Sie baden, treiben Sport, spielen, wandern, pflücken Blumen und geben sich dabei in ihrer Nacktheit so "unbefangen" und "natürlich" wie möglich (Abb. 15, 16, 17).

Abb. 16. Ewald Hoinkis: Freilichtgruppe "Idyll". Trostpreis im Photofreund-Wettbewerb "Der schöne Akt" 1928 (aus: Wilhelm Warstatt, Der schöne Akt, 1929).

Abb. 15. Magnus Weidemann: Freilichtakt "Blütenwunder" (aus: Die Schönheit 1926, S. 255).

Abb. 17. Hans Windisch: Freilichtakt "Unter der Mittagssonne", 1925 (aus: Photofreund-Jahrbuch 1925/26, S. 58).

Die Auffassung der Landschaft im Freilichtakt – die ja nicht in Konkurrenz zu dem Hauptmotiv treten soll – ist oft nüchtern und sachlich – verglichen mit den Möglichkeiten stimmungshaft beseelter Landschaften, die die Kunstfotografie entdeckt hatte. Trotzdem kommt diesen formal untergeordneten Hintergründen für die Gesamtwirkung der Freilichtaktaufnahme eine entscheidende Bedeutung zu. Eine Düne, ein Stück Strand oder auch nur ein bescheidenes Blumenbeet reichen aus, das verlorene Paradies, die Rückkehr in den Garten Eden zu visualisieren. Die Paradiessymbolik kritisiert zum einen die moderne Großstadtkultur; zum anderen beschwört sie einen mythischen Urzustand der Menschheit in "Unschuld", d.h. vor jeder Geschlechtlichkeit und erotischen Spannung zwischen Frauen und Männern. Mit dieser durch die Nacktheit in einer freien Natur angedeuteten sexuellen Unschuld war eine neue Ebene der Legitimation der Aktfotografie erreicht.

Die Ideologie der "sauberen Natürlichkeit" der Nacktheit erlaubte, ja forderte geradezu die Einbeziehung des männlichen Aktes und die bisher weitgehend tabuisierte Darstellung von nackten Paaren und Gruppen. Mit Vorliebe werden nackte Kinder und pubertierende Jugendliche fotografiert, so etwa in Lotte Herrlichs Mappe "Seliges Nacktsein" (Abb. 19). Während gelegentlich das männliche Genital in einer sportlichen Übung ins Bild geraten darf und tolerabel ist, bleiben die weiblichen Schamhaare nach wie vor wegretuschiert. Die Unbefangenheit der Kamera ("Es ist ja nichts dabei!") schreckte vor der Wahrnehmung der sinnlichen Details des Körpers zurück. Die Bilder sind beredte Indizien in der Beweisführung, "daß weder der männliche, noch der weibliche nackte Körper in seiner Wirklichkeit die sinnliche Erregung des anderen Geschlechts hervorruft" (19). Die Sprache der Propagandisten der Nacktkultur ist so sexualfeindlich, wie die der Bilder: Hans Surén, prominenter Leiter einer Gymnastikschule und Amateurfotograf bezeichnete Nacktheit als "keusches Lichtkleid"; nackte Frauen erscheinen ihm im Unterschied zu bekleideten als "stark und keusch"; und: "die Gewöhnung an den Anblick nackter Körper mildert die krankhaft gesteigerte Sinnlichkeit heutiger Zeit" (20). Ein anderer Amateurfotograf und Propagandist der Bewegung hielt 1923 öffentliche Vorträge mit Diapositiven von Freilichtakten und demonstrierte an Hand dieser Aufnahmen, "daß durch die Betrachtung reiner, keuscher Nacktheit rohe sinnliche Triebe abgetötet werden" (21).

Diese triebfeindliche Argumentation war nicht auf die eifernden, in Vereinen organisierten "Lichtkämpfer" gegen die amerikanisierte Revue- und Girlkultur beschränkt. Sie beherrschte auch die erheblich nüchternere, fachfotografische Diskussion. Warstatt sieht "die grundlegende Aufgabe für die künstlerisch-bildmäßige Aktfotografie zunächst darin, die Darstellung des nackten Körpers so zu gestalten, daß sinnliche Nebenwirkungen bei einem reinen Menschen, der die Darstellung betrachtet, völlig ausgeschlossen sind." (22).

Abb. 18. Josef Bayer: Freilichtaktgruppe "Hymnus an die Sonne" (aus: Die Schönheit 1925, S. 206).

Abb. 19. Lotte Herrlich: Geschwister (aus der Aktmappe: "Seliges Nacktsein", Hamburg 1927).

51

Abb. 20. Gerhard Riebicke: Standfoto aus dem Ufa-Film "Wege zur Kraft und Schönheit". 1924/25, 23,5 : 29,5 cm. (Deutsches Filmmuseum Frankfurt).

Abb. 21. Gerhard Riebicke: Standfoto aus dem Ufa-Film "Wege zur Kraft und Schönheit". 1924/25, 23,5 : 29,5 cm. (Deutsches Filmmuseum Frankfurt).

Der Freilichtakt stellt mit ästhetisch konventionellen Mitteln und einer naiven Bildsymbolik (Paradies) den großstädtischen Lebensbedingungen eine positive Gegenwelt gegenüber. Die eingängige Verständlichkeit der Bildsprache und wohl auch der von vielen Menschen tatsächlich als lebensfeindlich empfundene Großstadtalltag verhalfen der Bildgattung zu einer erstaunlichen Popularität. Die Filme "Wege zur Kraft und Schönheit" und "Sonnenkinder, Sonnenmensch" konfrontierten ein breites Kinopublikum in didaktischer Weise mit den Idealen der Nacktkultur. 1924/25 drehte die Ufa "Wege zur Kraft und Schönheit" als Kulturfilm mit finanzieller staatlicher Unterstützung. Der Film wurde wegen seines erzieherischen Wertes in Schulen eingesetzt und war ein bedeutender kommerzieller Erfolg (23). Gerhard Riebickes Standfotos für diesen Film wurden in den einschlägigen Journalen und Schriften zur Körperkultur immer wieder abgebildet (Abb. 20, 21). Es sind klassische Freilichtakte. Trotzdem unterscheiden sie sich in der Natur- und Körperauffassung wesentlich von Lotte Herrlichs verträumter Idylle "Am Waldsee" oder von Weidemanns genrehaft-intimer Gartenszene. Die Freilichtakte von Gerhard Riebicke betonen nicht so sehr die kosmische Verbundenheit von Mensch und Natur, sondern die Leistungskraft durchtrainierter Körper. Erotik und Sinnlichkeit des nackten Körpers erscheinen hier nicht dezent ausgeklammert, sondern gewaltsam ausgetrieben. Die uniform athletischen Körper der Ballspieler und die in einer gymnastischen Übung spiegelbildlich angeordneten Mädchen sind der Ornamentik der Bildkomposition rigide unterworfen. Die Aufnahmen von Riebicke vermitteln nicht die narzistische körperliche Selbsterfahrung der weiblichen "Körperseele" wie die Aufnahmen von Krull und Lendvai-Dircksen. Sie propagieren Leibeszucht als kollektive Körperdisziplinierung und Mittel der Triebbeherrschung.

VI Aktfotografie und NS-Rassenideologie

Wir finden Freilichtakte von Gerhard Riebicke wieder als Illustrationen der nationalsozialistischen Propagandaschrift "Sieg der Körperfreude" (1940) (24). Das Buch dokumentiert die Gleichschaltung der Körperkulturbewegung im NS-Staat. Ihre Gleichschaltung war nicht nur ein Akt der Vergewaltigung, so wie etwa der NS-Staat die Jugendbewegung oder die Embleme der sozialdemokratischen Arbeiterbewegung annektierte. Für den politisch konservativen Teil der Reformbewegung waren seit ihren Anfängen in der wilhelminischen Ära Pangermanismus und arischer Rassenmythos in Verbindung mit Großstadtfeindschaft und Zivilisationsflucht bestimmende Momente gewesen. Der Bildtypus des Freilichtaktes entstand im Umkreis eines Kulturpessimismus, der auf die Widersprüche in der kapitalistischen Industriegesellschaft mit regressiven, biologistischen Utopien antwortete. Fritz Stern hat unter dem Begriff der "Konservativen Revolution" die

Tradition und die politische Orientierung dieses Kulturpessimismus nach rechts hin dargestellt (25). Breite Kreise des Bildungsbürgertums, dem sowohl Fotografen wie Bildkonsumenten sozial zuzuordnen sind, haben den Nationalsozialismus als Vollender dieser "konservativen Revolution" begrüßt. Die im Umkreis der Körperkulturbewegung entstandenen Aktaufnahmen beschwören eine paradiesische Urgesellschaft als postindustrielle Glücksutopie – faktisch haben sie geholfen, das kulturelle Bewußtsein der bürgerlichen Mittelschicht auf den Weg in die faschistische Barbarei vorzubereiten. Die ästhetische Kontinuität der Ausdrucksstudie und des Freilichtaktes im Nationalsozialismus denunziert gleichwohl nicht die gesamte Körperkulturbewegung der 20er Jahre als einen Wegbereiter faschistischer Ideologie. Die weltanschaulich-politische Ambivalenz der Bewegung machte sie jedoch dem nationalsozialistischen Apparat verfügbar. Charakteristisch ist diese Ambivalenz an den politischen Biografien der Fotografen abzulesen: Germaine Krull, die sich seit 1924 in Paris der "Neuen Sachlichkeit" angeschlossen hatte, konnte mit knapper Not vor dem Einmarsch der Deutschen in Paris 1940 nach Algerien emigrieren. Erna Lendvai-Dircksen wurde mit ihren Porträtstudien zum "Deutschen Volksgesicht" eine Propagandistin der NS-Rassenlehre. Hans Surén setzte den Neuauflagen seiner Schriften nach 1933 emphatische Bekenntnisse zum NS-Staat voran. Sein Buch "Mensch und Sonne" (1924) erscheint in der zweiten Auflage 1936 mit zahlreichen didaktischen Freilichtakten von Gerhard Riebicke (Abb. 22, 23) und Surén selber. Im Vorwort zur Neuauflage – jetzt mit dem Untertitel "Arisch-Olympischer Geist" – heißt es: "Ich habe die große Freude, dieses Buch endlich in die Hand nationalsozialistischer Menschen als der erwachten Rassenträger legen zu können. Der Nationalsozialist soll in seinem innersten Wesen ein Kämpfer mit arischer Gesinnung und Moralanschauung auch in den Fragen der Zucht und der nordischen Freikörperkultur sein." (26).

Die Bildtypen der statuarisch isolierten Ausdrucksstudie und des Freilichtaktes konnten zur Vermittlung der nationalsozialistischen Rassenideologie verwendet werden. In ihnen wirkte der nackte Körper nicht mehr als Stimulans privater sexueller Lustphantasien, sondern als Bildzeichen politischer Kulturkritik. Das nationalsozialistisch-neoklassizistische Ideal der "Hohen Frau" (Abb. 24) ist ebenso prüde, wie der arbeitstüchtige Körper des bäuerlich bezopften Mädchens (Abb. 25), deren Brüste auch einen erotisch interessierten Betrachter allenfalls zu Spekulationen über ihre Stillfähigkeit anregen dürften. Die Atelierstudie des Malerfotografen Carl Breuer-Courth aus der Mappe "Enthüllte Schönheit" präsentiert das Modell aus leichter Untersicht in der stolzen Haltung einer thronenden Königin. Das Rückgrat kerzengerade aufgerichtet, die Schultern zurückgenommen, das Haupt erhoben ist der Körper der Frau angespannt, als sei ihr das Atmen verboten. Ihr Blick scheint fest auf das ferne "Hochziel" des arischen Rassenideals gerichtet, das ihr Körper in strenger Regelschönheit demonstriert. Freilich reibt sich das Pathos des Ideals an der kosmetischen Zeit-

Abb. 22. Gerhard Riebicke: Freilichtakte "Ballspieler am Strand" (aus: H. Surén, Mensch und Sonne, (1924), zweite Auflage 1936).

Abb. 23. Gerhard Riebicke: Freilichtakte in gymnastischer Übung (aus: H. Surén, Mensch und Sonne, (1924), zweite Auflage 1936).

signatur des Gesichtes, das an amerikanische Pin-ups erinnert. Trotzdem – die wie aus Stein gemeißelte Konsistenz ihres Körpers, die starre Glätte der Oberfläche verbieten jeden plump erotischen Zugriff des Betrachters auf die Reinheit des Ideals.

Die fotografisch bei weitem weniger sorgfältige Schnappschußaufnahme eines jungen Mädchens stammt aus dem Buch "Dein Ja zum Leibe" (1939) von Hermann Wilke, das mit zahlreichen Freilichtakten illustriert ist. Der Autor gibt eine rassenkundliche Übersicht über die Kulturgeschichte der Nacktheit von den Germanen bis zur Gegenwart. Er betont die pädagogische Bedeutung kollektiven Nacktseins als Beitrag zur Disziplinierung des Sexualtriebs bei Kindern wie Erwachsenen. Ein um Mitglieder werbender Beitrag über den "Bund für deutsche Leibeszucht" schließt die Darstellung ab. Die Zielsetzungen der Triebbeherrschung werden in den Leitsätzen des "Bundes" mit dem Gedanken der Zuchtwahl verknüpft: "Wir sind der Ansicht, daß eine solche Erziehung ... zu einem hervorragenden Mittel der rassischen Auslese wird, weil sie körperlich und willentlich bestimmte Anforderungen stellt, die nur ein leistungsfähiger und somit erbgesunder Mensch erfüllen kann." (27). Die Vorstellung, der nackte Körper provoziere sexuelle Neugier

oder sinnliche Faszination ist für den Autor eine "alte undeutsche Moralvorstellung"; in der nationalsozialistischen Volksgemeinschaft, behauptet er, werde der "nackte Körper kämpferischer Ausdruck für eine nordisch-sittliche Haltung" (27). Selbst in radikalen und stark sektiererischen Schriften der Körperkulturbewegung, wie z.B. in "Licht, Luft, Leben", waren während der Weimarer Republik die fotografischen Darstellungen von Gruppen beiderlei Geschlechts oder von nackten Familien seltene Ausnahmen. Die meisten Aufnahmen in der Schrift "Dein Ja zum Leibe" zeigen dagegen kollektives Nacktsein. Die Aufnahme der über eine Waldlichtung stürmenden Horde von nackten Frauen und Männern setzt die perfekt desexualisierte Volksgemeinschaft ins Bild (Abb. 26). Die Körper ihrer Mitglieder sind auf Zucht- und Arbeitsinstrumente reduziert, über die Staat und Partei verfügen. Erotisches Raffinement, individueller ästhetischer Geschmack, sinnlicher Genuß und sexuelle Lust sind als Momente subjektiver Körpererfahrung in diesen Freilichtakten ausgemerzt: sie sind politisch subversiv geworden. Aus den naiven, regressiven Utopien eines wiedergewonnenen Naturzustandes "reiner" Nacktheit ist die staatliche Kontrollgewalt über Körper und Sexualität geworden.

Abb. 24. Carl Breuer-Courth: Künstlerische Aktstudie (aus der Mappe: "Enthüllte Schönheit", um 1940).

Abb. 25. Kurt Reichert: Schnappschuß eines Freilichtaktes (aus: H. Wilke, Dein "Ja" zum Leibe!, Berlin 1939, S. 107).

Abb. 26. H. Wilke: Freilichtaktgruppe beim Waldlauf (aus: H. Wilke, Dein "Ja" zum Leibe!, Berlin 1939, S. 161).

VII Neue Sachlichkeit – Emanzipation der Sinnlichkeit

Der kulturgeschichtliche Zugang zu dem Thema der Aktfotografie hat zu Fotografen und Bildbeispielen geführt, die der fotografiegeschichtlichen Forschung bisher neben der Neuen Sachlichkeit als ästhetisch uninteressant erschienen. Tatsächlich haben diese Traditionalisten, die die Ideologie und Formensprache der bildmäßigen Kunstfotografie und die einer vermeintlich naiven Dokumentationsfotografie fortsetzten, die Breite des Bildbedarfs in der Weimarer Republik weiterhin gedeckt. Darüberhinaus stand die Auseinandersetzung mit dem Aktmotiv durchaus am Rande des motivischen Interessenkreises der Fotografen der Neuen Sachlichkeit. Ihr Bekenntnis zum fotografischen Apparat als technisch-industriellem Instrument der Bildherstellung machte sie immun gegen regressive Naturutopien; ihre Fortschrittsbegeisterung rückte sie von der kulturpessimistischen Kritik im Sinne der "konservativen Revolution" ab. Die Modernität der Großstadt, der Fabrik, der industriell gefertigten Alltagsgegenstände, der wissenschaftlich-analytische Blick auf die Natur erschienen ihnen der Modernität des Mediums angemessen. Albert Renger-Patzsch's Buch "Die Welt ist schön" (1928) feiert die Schönheit von Hochöfen, Fabrikschloten und Industrieprodukten – der weibliche Akt – seit dem frühen 19. Jahrhundert in den Bildkünsten als abstraktes Schönheitssymbol tradiert – bleibt geflissentlich ausgeklammert. Das Aktmotiv galt per se als Symbol einer sinnentleerten, bourgeoisen Kunsttradition, aus deren Fahrwasser die

Abb. 27. Willi Baumeister: Fotozeichnung mit Aktmotiv. Bildbeispiel für die Fotocollage (aus: Werner Gräff, Es kommt der neue Fotograf, 1929, Abb. 79).

Fotografen der Neuen Sachlichkeit das Medium befreiten. Der russische Fotograf P. Grochowskij kritisierte 1929 die staatliche Förderung einer traditionalistischen Kunstfotografie in der UdSSR mit der ironischen Aufzählung ihres bourgeoisen Motivrepertoires: "... Landschaften à la Corot, Herren mit Zylinderhüten, nackte Frauenkörper ..." (29). Werner Gräff brachte unter den vielen Bildbeispielen seines Buches "Es kommt der neue Fotograf" (1929) nur zwei Akte: eine Fotozeichnung von Willi Baumeister, die einen ausgeschnittenen, fotografierten Akttorso mit Aquarell und Zeichnung verbindet (Abb. 27), und das Ufa-Foto einer schwarzen Tänzerin, das vor leerem Hintergrund freigestellt ist. Gräff will mit diesen Beispielen den Bruch mit formalen Konventionen und die neuen ästhetisch-technischen Möglichkeiten des befreiten fotografischen Sehens demonstrieren. Die gleichzeitig intensiv geführte Diskussion der fotografischen Fachliteratur über die "moralisch-sittlichen Gesichtspunkte" (Warstatt) der Aktfotografie ist für Werner Gräff ohne jedes Interesse.

Die sexuelle, im Gegenstand begründete Problematik der Aktfotografie bleibt ausgeklammert, weil es nicht um den Gegenstand (das Motiv) geht, sondern um die Gesetze seiner Wahrnehmung. Der nackte Körper wird zu einem beliebigen Aspekt der sichtbaren Realität. Die fotografische Auseinandersetzung mit ihm bedeutet nicht die Konfrontation mit sexuellen Tabus, sondern der Umgang mit Gesetzen der Flächenaufteilung, der Körper-Raumbeziehungen, der perspektivischen Verkürzung oder der Helldunkelwerte im Bild. Ungewohnte Perspektiven und Aspekte lassen sich ebenso aufschlußreich an einem Fabrikschlot, einem Apfel oder einer weiblichen Brust demonstrieren. Ebensowenig wie der Fabrikschornstein aus der Froschperspektive zur Arbeit oder der Apfel zum Essen animiert, löst Raoul Hausmanns Aufnahme "Brust und Hand" (um 1930; Abb. 28) sexuellen Appetit und/oder Sexualangst aus. Die Kamera führt und leitet das Auge des Betrachters zur selektiven Wahrnehmung an, gleichsam in Ruhe und ohne Angst vor Strafe sich der Wahrnehmung dieses selten und selten so genau gesehenen Objektes zu überlassen. Es darf verweilen an der Gestalt der Brustwarze, die Pigmentflecken und die gleichmäßige Modellierung der plastischen Form auffassen und optisch nachvollziehen. Die in leichter Unschärfe wie bewegte Hand ruht entspannt unterhalb der Brust und mildert ihre bildmäßige Monumentalisierung. Es ist die Hand des Modells. Der Ausschnitt fetischisiert nicht pornografisch eine "erogene Zone", sondern erzeugt die Vorstellung von dem körperlich entspannten Fürsichsein einer schlafenden Frau. Die Bildkomposition "Brust und Hand" verlangt von dem Betrachter durch ihre stillebenhafte Ruhe kontemplatives, bewußtes Sehen.

Während sich die Fotografen der Körperkulturbewegung angestrengt bemühen mußten, die "Gefahren sinnlich-erotischer Nebenwirkungen" (Warstatt) mit Hilfe von Weichzeichnern, Retuschen und "unbefangenen" Situationen im Aktfoto zu eliminieren, entdeckten die Fotografen der Neuen Sachlichkeit die

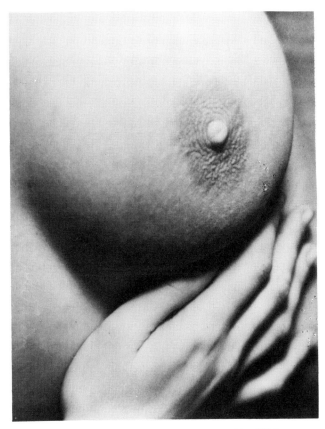

Abb. 28.   Raoul Hausmann: Brust und Hand. Um 1930.

–phallisch gilt und zugleich eine erotisch-sinnliche Wärme, die den Betrachter die Frage nach seinem eigenen Körpergefühl stellen läßt. Beide Wirkungen artikulieren massive Kritik an der Körperfeindlichkeit der Industriegesellschaft, die auch Hauptangriffspunkt der Körperkulturbewegung und Hauptthema der dieser Bewegung nahestehenden Aktfotografie war. Hausmanns Kritik ist jedoch weder in ihrer Zielrichtung, noch in den ästhetischen Mitteln mit deren Ansätzen vergleichbar. Seine Bildkomposition formuliert die Forderung nach der Emanzipation der Sinnlichkeit und zugleich der Emanzipation der Weiblichkeit. Nicht abstrakte, ikonografische Paradiessymbolik, sondern die Sinnlichkeit der Wahrnehmung, des Sehens selbst – "jenes zauberhaften Vorgangs" (30) – setzt er als ästhetisch konkrete Utopie dem schlechten Bestehenden gegenüber. Der Nationalsozialismus konnte die naive, didaktische Bildsprache der Freilichtakte und Ausdrucksstudien politisch verfügbar machen. Die emanzipierenden Momente in Raoul Hausmanns Aktaufnahmen waren ästhetisch so weitgehend konkretisiert, daß sich die Bilder der nationalsozialistischen Gleichschaltung widersetzten.

sinnlich-erotische Faszination von Haaren, Hautporen, Sommersprossen, Körperfalten etc. – so wie sie gleichzeitig die sinnliche Faszination von Eisenbahnschienen, Textilstrukturen oder einer Glühbirne entdeckten. Hausmanns Aufnahme (Abb. 29), die 1930 an der Ostsee entstand, hat mit dem Genre des Freilichtaktes und seiner naturideologischen Überfrachtung nichts zu tun. Die Perspektive der Kamera und der Bildausschnitt dynamisieren den gestrafften, muskulösen Frauenkörper. Energisch stößt die in sich gedrehte Rückenfigur in die Bildfläche vor. Das dunkle Gebüsch am oberen Bildrand umfaßt rahmend die kräftige Schulterpartie und den von der Bubikopffrisur freigegebenen Nacken. Die sinnliche Präsenz liegt in der Feinheit der technisch perfekten Details (nur z. T. in der Reproduktion erkennbar): Sand, trockene Holzteilchen, stachelige Grasbüschel sind ebenso wichtig, wie die Modellierung der Rippen, die geschwungene Linie des Rückgrats, die zarten Abschattierungen der Körperrundungen, Haare und vereinzelte Sandkörner auf der Haut des Armes. Die präzis kalkulierte Drehung in der Körpermitte gibt den Blick auf die Brust und die unretuschierten Schamhaare frei, die die grauen und schwarzen Schatteninseln hervorheben. Hausmann verweigert sich mit dieser fotografischen Interpretation eines nackten Frauenkörpers ebenso der männlichen Erwartung an die Posen passiver Willfährigkeit, wie der Erwartung an das "sportlich-gymnastische" Ideal des asexuellen Sportmädels. Die Aufnahme vermittelt dem Betrachter den Eindruck einer körperlichen Energie, die nach den bestehenden Vorurteilen als männlich

Abb. 29.   Raoul Hausmann: Akt an der Ostsee. 1930/31.

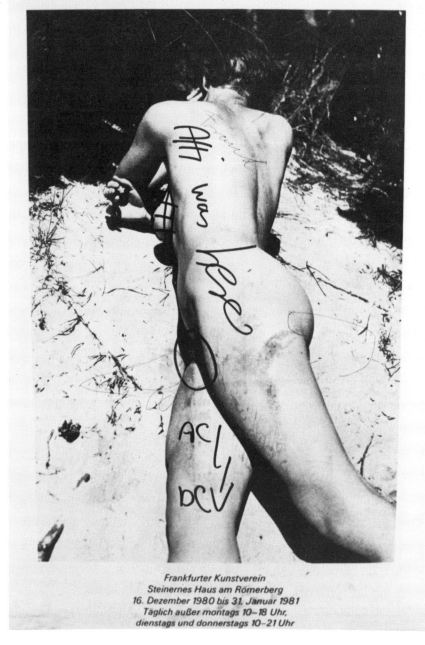

Frankfurter Kunstverein
Steinernes Haus am Römerberg
16. Dezember 1980 bis 31. Januar 1981
Täglich außer montags 10–18 Uhr,
dienstags und donnerstags 10–21 Uhr

Abb. 30. Ausstellungsplakat mit Filzstiftkritzeleien. Frankfurt Innenstadt 1980/81. (Foto D. Reifarth).

VIII Aktualisierung

Um die Jahreswende 1980/81 wurde Hausmanns Ostsee-Aufnahme in einer Din A1-Vergrößerung in der Frankfurter Innenstadt an Litfaßsäulen und U-Bahnhöfen als Hinweis auf eine Ausstellung im Frankfurter Kunstverein plakatiert (Abb. 30). Das vergrößerte Foto wurde so über mehrere Wochen hin Teil der Alltagswahrnehmung einer großstädtischen Bevölkerung. Anders als die gleichzeitig plakatierten, üblichen farbigen Großaufnahmen nackter Frauen in ihrer kalten Obszönität provozierte die Aktfotografie von 1930 Irritation und Widerspruch. Der Widerspruch schlug sich in Filzstift-Kritzeleien auf mehreren Exemplaren des Plakates nieder. Die hier abgebildete Kritzel-Kommentierung ist von einem "Alfi" signiert ("Alfi was here"). Mit der durchgestrichenen Brust und dem hinzugefügten männlichen Genital wehrt sich "Alfi" gegen die emanzipierte, körperliche Energie der Frau, die er als bedrohlich empfindet. Die Verletzung der erotisch-sinnlichen Schönheit des Plakatbildes ist kaum als direkte Kritik an einem Aktfoto zu verstehen, das vor einem halben Jahrhundert entstand. Sie ist vielmehr aggressiver Ausdruck der Beunruhigung. Die ästhetisch konkrete Utopie emanzipierter Sinnlichkeit vergegenwärtigt heute, 1980 an einer U-Bahnhaltestelle für den Betrachter die Defizite seines eigenen Körpergefühls, Mangel und sinnliche Verelendung. Die Aggression entlädt sich am Plakat, weil kein anderer Adressat erkennbar wird. Nicht zuletzt diese Kraft der Aktualisierung von realen Körperwünschen und Ängsten spricht für die Qualität von Hausmanns Aktaufnahme.

Anmerkungen

1 Die Rezeption historischer Aktfotografie ist im wesentlichen beschränkt auf die humoristische Aktualisierung der "Play Girls von damals" (langjährige Sparte im "Stern", R. Lebecks Publikation in der Reihe "Die bibliophilen Taschenbücher"). Die in illustrierten Fotografiegeschichten auffallend häufig abgebildeten homoerotischen Knabenakte von Gloedens aus den 90er Jahren sind für die Gesamtentwicklung untypisch. Während trivialhistorische Dokumentationen wie M. Gabor, The Pin Up, New York 1972 ein interessantes und reiches Material zusammenstellen, negiert die seriöse Fotogeschichtsschreibung das Motiv selbst in Monografien über Fotografen, die als Aktspezialisten galten, so z.B. Helmut Grunwald, Franz Fiedler und seine Zeit, Halle 1960, und Ausstellungskatalog "Germaine Krull 1920–1966", Rheinisches Landesmuseum Bonn 1977. Eine Ausnahme ist die Publikation der Aktaufnahmen von E.J. Bellocq, die als private Erinnerungs- und Porträtaufnahmen der Prostituierten von New Orleans besonderes sozialgeschichtliches Interesse verdienen (John Szarkowski, E.J. Bellocq, Storyville-Portraits, New York 1970).

2 E. Stenger, Die technische Entwicklung der Fotografie, in: Die Erotik in der Fotografie, Wien 1931, S. 17: "Mit der Portraitaufnahme parallel lief die Aktfotografie, die schon 1850 künstlerisch hochwertige Bilder des menschlichen Körpers schuf, gleichzeitig aber auch erotischen Zwecken dienstbar gemacht wurde". Der Gebrauch von Aktaufnahmen zum Studium ist für die Maler Delacroix und Courbet nicht vor 1850/bzw. 1853 nachweisbar. Vgl. A. Scharf, Art and Photography, (1968), 1975, S. 119 ff.

3 § 184 des Strafgesetzbuches für das Deutsche Reich (aus: Reichsgesetzblatt 23, 1900): "Mit Gefängnis bis zu einem Jahre, Geldstrafe bis zu 1000 Mark oder mit einer dieser Strafen wird bestraft, wer 1. Unzüchtige Schriften, Abbildungen oder Darstellungen feilhält, verkauft, vertheilt an Orten, welche dem Publikum zugänglich sind ...". Vor 1918 galt der Tatbestand der "Unzüchtigkeit" eines Bildes allein durch die Tatsache fotografierter Nacktheit erwiesen. Nach 1918 galt nur noch die durch Text, Bildausschnitt, Perspektive oder sonstige Mittel erotisch inszenierte Nacktheit als "unzüchtig".

4 Abb. von Kaufhausnuditäten u.a. bei H. Gebhardt, Königlich bayerische Photographie 1838–1918, München 1979, S. 269.

5 Das Photographische Centralblatt, VIII, 9, 1902, S. 205 bringt eine Ausstellungsrezension über Aktstudien in dem Londoner Salon und einer Ausstellung fotografischer Aktstudien in Paris. Die Redaktion hält es für notwendig, sich von den positiven Äußerungen des anonymen Rezensenten durch eine moralischkritische Fußnote zu distanzieren.

6 W. Ranke, Heinrich Zille – Photographien Berlin 1890–1910, München 1975, Abb. 38–45

7 W. Süßmann, Aktfotografie, in: Photofreund Jahrbuch 1931/32, S. 79, 81

8 Die folgende Auflistung ist kein Versuch zu einer vollständigen Bibliographie; sie soll jedoch die plötzliche Breite der Diskussion in der Fachliteratur und im Umkreis der Reformbewegung dokumentieren:
Lotte Herrlich, Die Beleuchtung beim künstlerischen Akt, in: Deutscher Camera Almanach 1922, S. 71
dies., Der Hintergrund im photographischen Aktbild, in: Deutscher Camera Almanach 1924, S. 75
dies., Die Schönheit des kindlichen Körpers, in: Der Satrap, 6, 1925, S. 148
dies., Der Kinderakt, in: Deutscher Camera Almanach 1930, S. 31
Hans Windisch, Einiges über Aktphotographie, in: Photofreund Jahrbuch 1925/26, S. 59
M.H.R. Brünner, Über den Austausch von Aktphotographien, in: Der Satrap, 5, 1926, S. 140
Hans Eder, Der Akt im Lichtbild, in: Die Linse, 1, 1926, S. 80
Magnus Weidemann, Zur Ästhetik des Nackten, in: Die Schönheit, 1919/20, S. 216
ders., Die Körperfarbe, in: Die Schönheit, 1923, S. 128
Willi Kernspecht, Das tänzerische Aktbild, in: Photofreund, 19, 1928, S. 355

9 Anzeige für Satrap-Heimlampe mit einem Aktfoto von P. Wiegleb (Chemnitz), das den 2. Preis in dem Satrap-Weihnachtswettbewerb 1929 davontrug. In: Die Linse, Monatsschrift für Photographie und Kinematographie, 26, 1930, S. 66

10 A. Büttner, Das Knipsbuch des Sportmanns, Stuttgart 1927, Abb. S. 126 zeigt eine Aktstudie "Getanzte Harmonie" von P. Ifenfels als Beispiel einer gut ausgeleuchteten Momentaufnahme.

11 Otto Goldmann, Das Aktbild und die Zensur, in: Die Erotik in der Photographie, Wien 1931, S. 170

12 J. Frecot, J.F. Geist, D. Kerbs, Fidus, Zur ästhetischen Praxis bürgerlicher Fluchtbewegungen, München 1972 und Ausstellungskatalog "Monte Verità – Berg der Wahrheit", Zürich 1978

13 Wilhelm Warstatt, Der schöne Akt, Berlin 1929, S. 15. Warstatt wertet die Ergebnisse des Aktwettbewerbes der Zeitschrift "Photofreund" von 1928 aus; an diesem von ihm detailliert analysierten und kommentierten Bildmaterial entwickelt er sowohl die "moralisch – sittlichen Gesichtspunkte" in einem einleitenden Kapitel, wie im folgenden überwiegend die technisch-ästhetischen Probleme.

14 Ausdrucksstudien und Freilichtakte haben fotografiert:
Trude Fleischmann, Wien
Frieda Horovitz, Wien
Hedwig Hagemann
Selma Genthe, Dresden
Hilde Kupfer
Hanna Schumann
Edith Boeck
Margot Fürstenwarther
Maria Rose
Elsa Erdmann, Hamburg
Trude Jokisch, Hamburg

15 Fritz Giese, Körperseele, München 1924

16 Clara Höfer-Abeking, Die Kunst des Körperausdrucks im Lichtbild, in: Die Schönheit, 1924, S. 36

17 in: Clara Höfer-Abeking, op. cit. S. 40

18 W. Warstatt, op. cit. S. 13

19 Richard Ungewitter, Mein Kampf um die Freiheit des Körpers, in: Die Schönheit, 1927, S. 575. Ungewitter hatte bereits vor 1918 als ein für die Nacktkultur eifernder Publizist gewirkt.

20 Hans Surén, Der Mensch und die Sonne, Stuttgart 1924, S. 50, 66, 67

21 Paul Sarfert, Mein erster Aktlichtbildervortrag, in: Licht, Luft, Leben, Nachrichtenblatt der Arbeitsgemeinschaft der Bünde deutscher Lichtkämpfer, 11, 1923, S. 167

22 W. Warstatt, op. cit. S. 20

23 S. Kracauer, Von Caligari bis Hitler, Hamburg 1958, S. 93

24 Wilm Burghardt, Sieg der Körperfreude, Dresden 1940

25 Fritz Stern, Kulturpessimismus als politische Gefahr, Bern, Stuttgart, Wien 1963

26 Hans Surén, Mensch und Sonne, 2. Auflage, Berlin 1936, S. 8

27 Hermann Wilke, Dein "Ja" zum Leibe!, Berlin 1939, S. 188

28 Hermann Wilke, op. cit. S. 121

29 Zitiert nach R. Sartorti, "Jeder fortschrittliche Genosse braucht nicht nur eine Uhr, sondern auch einen Fotoapparat", in: Ausstellungskatalog "Film und Foto der zwanziger Jahre", Stuttgart 1979

30 Andreas Haus, Raoul Hausmann, Kamerafotografien 1927–1957, München 1979, hat Hausmanns "Poetik des lebendigen Sehens" und die Emanzipation subjektiver Sinnlichkeit an Hand von Hausmanns fototheoretischen Schriften dargestellt.

Ellen Maas und Klaus Maas

Das Photomaton –
Eine alte Idee wird vermarktet

Abb. 1. (Archiv E. Maas; vgl. Legende zu Abb. 23).

Abb. 2. Faksimile der ersten Patentschrift in Deutschland, die unter der Bezeichnung "Photographie-Selbstverkäufer" das Photomaton beschrieb.

DEUTSCHES REICH

AUSGEGEBEN
AM 13. JANUAR 1925

REICHSPATENTAMT

PATENTSCHRIFT

№ 407814

KLASSE **57a** GRUPPE 20 63

(J 24388 VI/57 a²)

Anatol Marco Josepho in New York City.

Photographie-Selbstverkäufer.

Patentiert im Deutschen Reiche vom 7. Februar 1924 ab.

Durch den photographischen Apparat nach der Erfindung können selbsttätig in rascher Reihenfolge hintereinander mehrere unabhängige Aufnahmen gemacht werden, und da die Auslösung der Vorrichtung von dem Einwurf einer Münze abhängig gemacht werden kann, so kann dadurch eine Person auch eine ganze Reihe von kinematographischen Selbstbildern aufnehmen.

Der Träger der lichtempfindlichen Schicht kann dann in bekannter Weise unmittelbar in ein Positiv geändert werden, oder aber es kann ein Positiv durch Kopieren des Negativs erzeugt werden. Die Umänderung des Negativs in ein Positiv findet ebenfalls durch Auslösung der Vorrichtung, nach Einwurf einer Münze, statt, so daß also eine Person, die die Münze eingeworfen hat, einen positiven kinematographischen Film in trockenem Zustand ausgehändigt erhält, da mit der Entwicklungsvorrichtung auch eine selbsttätig angetriebene Trockenvorrichtung verbunden ist.

Die Vorrichtung zur Entwicklung des Films und zu seiner Umwandlung in ein Positiv ist dabei unabhängig von der Vorrichtung zur Aufnahme der Bilder, während schon die Entwicklung und weitere mechanische Behandlung stattfinden kann, während die nächste Aufnahme gemacht wird.

Wie bei anderen kinematographischen Vorrichtungen, ist ein Verschluß vorgesehen, und

auch hier ist eine Halteanordnung eingefügt, durch welche der Film gegen Bewegung gesichert wird, solange dieser Verschluß offen ist.

Die richtige Aufnahme hängt ferner von der Beleuchtung ab, der die Person ausgesetzt wird. Eine Lampe wird deshalb erregt, wenn die Münze in den betreffenden Schlitz eingebracht wird, und bleibt für die ganze Zeitdauer der Beleuchtung erregt.

Die Zeichnungen stellen ein Ausführungsbeispiel dar:

Abb. 1 zeigt den Apparat von außen gesehen.

Abb. 2 ist ein Schnitt nach 2-2 der Abb. 1.

Abb. 3 ist teilweise Schnitt und teilweise Schaltungs- und Arbeitsschema der Gesamtvorrichtung.

Abb. 4 zeigt schematisch einen Einzelteil, der durch Einwurf einer Münze unmittelbar ausgelöst wird.

Abb. 5 ist ein Schnitt nach 5-5 der Abb. 4.

Abb. 6 zeigt den unteren Teil der Leitung für die Münze.

Abb. 7 ist eine Draufsicht auf einen Schalter.

Abb. 8 zeigt diesen Schalter in Vorderansicht, und zwar ist der Schaltarm in seiner linken Endlage dargestellt.

Abb. 9 zeigt, ähnlich der Abb. 6, das untere Ende der Münzenleitung in einer Lage, in welcher die Münze aus ihr heraustreten kann.

Der Anfang: Ein Mr. Josepho verkauft sein Patent

1924 hatte sich der aus Russisch-Polen eingewanderte Anatol Marco Josepho (New York City) in den Vereinigten Staaten und verschiedenen europäischen Ländern eine ausgeklügelte Maschine schützen lassen, die im Reichspatent 407814 als "Photographie-Selbstverkäufer" bezeichnet ist (Abb. 2).

Einzelheiten der folgenden Verhandlungen zwischen dem Patentinhaber und Interessenten sind hier unwesentlich – jedenfalls kaufte dann eine Gruppe von Geschäftsleuten die Rechte für runde 1 000 000 $ (seinerzeit etwa 4 000 000 M). Die ersten Josepho-Maschinen arbeiteten ab Dezember 1926 in New York.

Der kometenhafte Aufstieg

Im November 1927 etablierte sich eine Photomaton-Gesellschaft mit einem Kapital von umgerechnet 3 500 000 M, die die Rechte an der Erfindung für Groß-britannien, Frankreich, Deutschland, Italien und Kanada erwarb. Die mit dem gleichen Kapital ausgestattete Internationale Photomaton-Gesellschaft sicherte sich fast alle übrigen Länder.

Bis hierher ein ganz normaler Vorgang. Doch nun die überraschende Entwicklung, ein damals nicht seltener Clou!

Ein Jahr später erwarb eine neugegründete Photomaton-Dachgesellschaft die insgesamt 7 000 000 1-sh-Aktien (1 sh $\cong$ 1 M) der zwei Gesellschaften für 5 600 000 eigene 5-sh-Aktien. Als der Kurs der nunmehr an der Börse gehandelten Aktien von umgerechnet 12,50 sh bei der Ausgabe durch eine geschickte propagandistische Kurspflege auf 17 sh anstieg, ergab sich ein Gesamtwert von etwa 95 000 000 sh, also ein Gewinn von rund 88 000 000 Mark.

Zu dieser märchenhaften Entwicklung innerhalb weniger Monate bemerkte seinerzeit der britische Observer: "... und da sagt man noch, daß die City von London nicht mit Gold gepflastert ist!"

Was denn eigentlich hatte Josepho in New York verkauft?

61

... suchet, und ihr werdet erfinden!

Kommentar aus der Zeit dieses Photomatonbooms: "Streng genommen ist der Ausdruck 'Erfindung' nicht angebracht, weil dem Photomaton keine neue Erfindungsidee zu Grunde liegt; vielmehr sind bereits bekannte Prinzipien zu einer – allerdings hervorragend durchdachten – Konstruktion benutzt."

Tatsächlich liest sich Josephos Patentschrift wie die Konstruktionsanweisung für ein komplettes serienreifes Großgerät aus verwirrend vielen damals bereits bekannten Einzelbestandteilen und Verfahrensschritten, die in ihrer Gesamtheit keine anderen Patentrechte verletzen: Ausgabe des DRP 407814 am 13.1.1925, Patentschutz ab 7.2.1924 (Abb. 2).

Das Patent-Chinesisch sei hier ersetzt durch die zeitgenössische allgemeinverständliche Erläuterung, die Dipl.-Ing. A. Lion in mehreren Zeitschriften veröffentlichte, u.a. auch in der bekannten "Umschau".

"Das vollkommen automatisch arbeitende Photomaton beruht auf einer sinnreichen Verbindung optischer, photochemischer und elektromechanischer Einrichtungen und Vorgänge ... Die Aufnahme erfolgt ohne Benutzung eines Negativs unmittelbar auf das lichtempfindliche Papier, das in einer lichtdichten Kassette in Form einer großen Rolle eingeschlossen ist. Durch den Einwurf des Geldstückes werden zwei Kontakte betätigt, die die Beleuchtung einschalten und den dauernd laufenden Motor mit der Aufnahmevorrichtung kuppeln. Im selben Augenblick erfassen zwei Gummiwalzen den Papierstreifen und führen ihn vor das photographische Objektiv. Diese Gummiwalzen haben Aussparungen, und sobald das Papier in eine derartige Aussparung gerät, steht es still. Im gleichen Augenblick arbeitet automatisch der Verschluß. Haben sich nach 20 Sekunden die Gummiwalzen 4mal gedreht, wobei 8 Aufnahmen gemacht worden sind, dann schneidet ein Messer den Papierstreifen ab. Gleichzeitig wird die Aufnahmevorrichtung ausgekuppelt und die Beleuchtung ausgeschaltet. Mit Hilfe einer endlosen Kette gelangt der Streifen dann in den Entwicklertrog, wo er zunächst durch ein Entwicklerbad, dann durch ein Bleichbad, ein Klärbad und ein Tonbad geführt wird. Zwischen den einzelnen Bädern wird der Papierstreifen gespült. Das fertig getonte Bild geht nochmals durch ein Wasserbad und dann in den elektrischen Trockner, wo es mit warmer Luft angeblasen wird, und den es so lange durchläuft, daß das Bild vollkommen trocken den Apparat verläßt. Dieser ganze Vorgang dauert knapp 8 Minuten ..."

Wie schwierig es andererseits war, angesichts der zahlreichen bereits verwirklichten Ideen und Patente (dem "Stand der Technik") sich eine derartige Erfindung schützen zu lassen, bewies ein Jahr nach Josephos Anmeldung das Deutsche Patentamt der Photomaton Parent Corporation Ltd. in London: Diese mußte von Herbst 1925 bis Frühjahr 1929 auf die Ausgabe des Patentes DRP 473322 ("Photographischer Selbstverkäufer") warten, also auf den Schutz von Weiterentwicklungen gegenüber dem erworbenen JosephoPatent verzichten, die bereits im Großen kommerziell

Abb. 3. Eine Kundin lichtet sich in der Photomaton-Kabine ab (aus: Die Umschau, 23, 1929, S. 32).

genutzt wurden (die Prinzipskizze zu A. Lions Beschreibung in der Umschau ist auf S. 63 den Zeichnungen des zweiten Patents gegenübergestellt).

... alles schon mal dagewesen

● In Deutschland erwirkte bereits 35 Jahre vor Josepho der Franzose Theophile Ernest Enjalbert beim Kaiserlichen Patentamt den Schutz seiner Erfindung "Durch Einwerfen einer Münze zu bethätigender Apparat zur selbständigen Herstellung von Photographien" (Patent-Nr. 52920 vom 17.9.1889, ausgegeben am 26.7.1890) und eröffnete damit den Reigen schutzwürdiger Neukonstruktionen und Weiterentwicklungen. Es lohnt sich, die einzelnen Patente, besonders die Vorbemerkungen zum jeweiligen Stand der Technik, unter die Lupe zu nehmen, um die in den Schwächen einzelner Verfahren liegenden Chancen für Erfinder chronologisch zu verfolgen.

● "Da die Einstellung vollkommen sicher und unverändert ist, sind alle Bilder gleichmäßig scharf", beschreibt A. Lion 1928 in der "Photographischen Industrie" bzw. 1929 in der "Umschau" eine Grundvoraussetzung für jede automatische Fotografie der damaligen Zeit. Abb. 4 zeigt eine außergewöhnliche Korrekturmöglichkeit der Sitzhöhe in Form eines Schiffssteuerrades mit Schneckentrieb ("Jeder Photokunde sein eigener Steuermann!"): Photomaton-Patentzeichnungen bevorzugen demgegenüber den klavierschemelartigen Drehsitz. Enjalbert hatte sich noch nicht vom professionellen Ateliergerät lösen können: Er fixierte das Haupt mit dem traditionellen Kopfhalter und paßte den individuellen Rest bis zum Gesäß mit Hilfe einer schiefen Sitzebene an (vgl. Abb. 8; übrigens eine in gepflegten Ateliers verpönte Methode, sagt doch be-

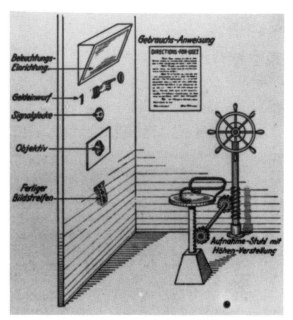

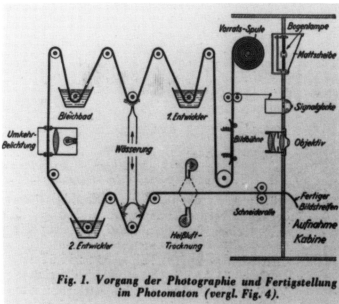

Fig. 1. Vorgang der Photographie und Fertigstellung im Photomaton (vergl. Fig. 4).

Abb. 4. Skizze zu der in Abb. 3 dargestellten Photomaton-Kabine; die Höhenverstellung des Kundensitzes ist phantasievoll gelöst, geschah aber bei den Standardgeräten durch einen Drehschemel mit Spindel (vgl. Abb. 6).
(Abb. 4 und 5 aus: Die Umschau, 23, 1929, S. 34).

Abb. 5. Prinzipskizze des Verlaufs von der Belichtung bis zur Ausgabe des fertigen Bildstreifens: Vorratsspule / Bildbühne mit Objektiv / 1. Entwickler / Wässerung / Bleichbad / Umkehrbelichtung / 2. Entwickler / Heißlufttrocknung / Schneiderolle / Bildausgabe.

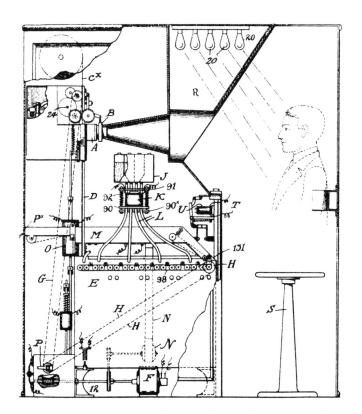

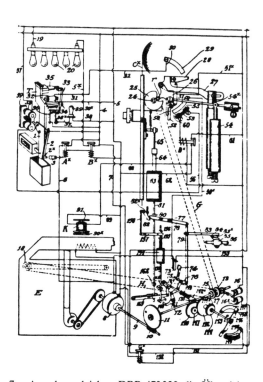

Abb. 6. Und so sah die Aufnahmekabine in der deutschen Patentschrift der Photomaton Parent Corporation Ltd., London, 1925 aus, (Glühlampen statt des Bogenlichts in Abb. 4/5!).

Abb. 7. Aus dem gleichen DRP 473322 die Übersichtszeichnung: Man erkennt, welchen technischen Aufwands es bedurfte, um den in Abb. 5 skizzierten automatischen Durchlauf zu realisieren.

reits A. Vogel 1874 in seinem Lehrbuch der Photographie: "...Wer Personen in den bereits festgestellten Kopfhalter hineinzwängen will, begeht eine Thierquälerei und eine Sünde gegen den guten Geschmack dazu."). Sieht man von der fehlenden künstlichen Beleuchtung ab, so besitzt dieses Gerät bereits alle Funktionen des Photomaton: Münzannahme und automatische Verarbeitung des Fotomaterials von der Belichtung über den Entwicklungsprozeß bis zum Trocknen und zur Ausgabe des fertigen Bildes; daß dieses Gerät sich zudem mit einer aufdosierten Kollodiumlösung und Eintauchen der getrockneten Platte in ein Silberbad die lichtempfindliche Schicht selbst herstellte, erforderte zusätzliche mechanische Elemente.

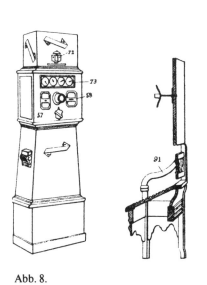

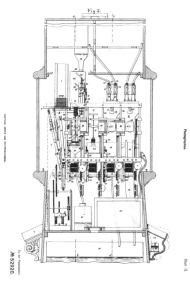

Abb. 8.   Abb. 9.   Abb. 10.

Abb. 11. "Bosco-Photographie" nannte der Erfinder Conrad Bernitt aus Hamburg seine im Papp-Futteral verkauften Ferrotypien nach DRP 58 613. 8,6:6,4 cm. (Archiv E. Maas).

Im Laufe der 90er Jahre wurden eine Reihe weiterer Automaten entwickelt und zum Teil auch patentiert, so daß die verhältnismäßig große Zahl der aus dieser Zeit erhaltenen Photoautomatenbilder kaum eindeutig zuzuordnen ist – bis auf eine Ausnahme: Conrad Bernitt wölbte die Ränder seiner Bildträger rahmenartig zu "Entwicklerschalen" auf, die dann wie eine kostbar gerahmte Miniatur im Futteral aus farbiger Pappe (!) überreicht wurden; (vgl. Abb. 11 und 12). Die unter dem Markennamen "Bosco" laufenden Fotografien trugen in der Rahmen-Rückseite den Vermerk "Präparirt vom Erfinder", das lichtempfindliche Material wurde also fertig beschichtet angeliefert.

● Die Wartezeiten für die Auslieferung betrugen bei solchen frühen Automatenbildern nur wenige Minuten, Abb. 10 beispielsweise weist 3 Minuten aus – Photomaton benötigte 30 Jahre später 8 Minuten für die Fertigstellung von 8 im Abstand von 2,5 Sekunden aufgenommenen Porträts! Wo lag da der Fortschritt?

Abb. 12. Aufgeklapptes Bosco-Futteral: Der gewölbte Rand des Trägers bildete die Entwicklerschale und wirkte wie ein Bilderrahmen. Um 1905, 8,6 : 13 cm. (Archiv E. Maas).

Abb. 8 (Seite 64). Ein Vorläufer des Photomaton (DRP 52920, Enjalbert, Paris) aus dem Jahre
1889 mit Kopfhalter und schräger Sitzfläche;
(vgl. auch Abb. 9).

Abb. 9 (Seite 64). Einzelheiten des "Durch Einwerfen einer Münze zu bethätigenden Apparat
zur selbstthätigen Herstellung von Photographien".

Abb. 10 (Seite 64). Die frühen Automatenbilder waren entweder seitenverkehrte Glas- oder
Blechbildchen, sogenannte Ferrotypien wie das
wiedergegebene von 1889. 8,6 : 6 cm. (Archiv
E. Maas).

Abb. 13. Anzeige der Firma E. Birnbaum für ein Gerät zur automatischen
Herstellung von Papierbildern 1907 (aus: Die Photographische Industrie).

● Die nach den bisher beschriebenen Schnellverfahren erzeugten Automatenbilder waren Ferrotypien, also auf schwarz oder dunkelbraun lackiertem Eisenblech erzeugte Negative (Abb. 10). Sie waren und blieben Negative, die nur durch folgenden Kunstgriff den Eindruck von Positiven erweckten: Wenig oder nicht belichtete Filmpartien lassen nach dem Entwickeln den dunklen Untergrund durchscheinen, während die belichteten schwarzen Bereiche sich durch Nachbehandeln in einem Sublimatbad ($HgCl_2$) aufhellen, also gewissermaßen "umgekehrt" werden. Das freie Silber setzt sich hierbei nach der Gleichung

$$2\ HgCl_2 \qquad\qquad + 2\ Ag \longrightarrow$$
(farblose Lösung)   (schwarz)

$$Hg_2Cl_2 \qquad\qquad + 2\ AgCl$$
(weißer Niederschlag,   (weiß)
"Kalomel")

zu einem Mischsalz um, das nach und nach durch fotochemische Umsetzung des Silberchlorids etwas nachdunkelt. Noch heute bestechen viele der nach diesem Verfahren erzeugten Ferrotypien durch ihre Brillanz.

Im ersten Viertel dieses Jahrhunderts versuchte man, sich diesen zusätzlichen Arbeitsgang zu ersparen und steuerte den Entwicklungsprozeß unmittelbar in Richtung auf ein "metallisches" Silber mit gröberem Korn – doch wie wir es von den Silberbestecken in unserer Schwefelwasserstoff-haltigen Biosphäre wissen: Schwarzes Silbersulfid hebt sich nicht mehr vom schwarzlackierten Träger ab und die Kalomel-freien

Relikte dieser Porträts unterscheiden sich oft kaum von dem berühmten Gemälde "Negerkampf im Tunnel".

"Ihr Bild in 1 Minute" war ein verbreiteter Werbeslogan der Hersteller, die ihre Ferrotypie-Automaten im ersten Jahrzehnt des neuen Jahrhunderts in den Fachzeitschriften anboten – vom Automaten "Photographiere Dich selbst" der böhmischen Firma E. Birnbaum, der sich auf verschiedene Geldbeträge einstellen ließ, bis zur patentamtlich geschützten Handkamera "Fotofix", die "in wenigen Sekunden direkt Positive von wunderbarer Kraft für Massenartikel wie Broschen, Medaillons, Schlipsnadeln ..." lieferte und für die Otto Spitzer, Berlin, "... tadelloses Funktionieren jeder Kamera und Gelingen der Bilder" garantierte.

Bliebe als "epochemachende Neuheit" des Josepho-Automaten nur noch die Ausgabe von Papier-statt Blechbildchen?

● Nun, auch dies war bereits allgemein bekannt: Die erwähnte Firma E. Birnbaum beispielsweise bot 1907 in Anzeigen einen Automaten "Expreß – mechanischer Photoapparat – macht die Aufnahme, entwickelt und fixiert, gibt das fertige Bild heraus!" an (vgl. Abb. 13). Papierbild!

Die große Zahl der zwischen 1905 und 1914 erzeugten Papier-Automaten-Fotos sind seitenrichtig, also über Negative gewonnen. Bei fast allen erhaltenen Exemplaren ist am Rand noch die mitfotografierte Negativnummer zu entdecken, die zusammen mit einer Adresse Nachbestellungen und vor allem Vergrößerungen ermöglichte (vgl. Abb. 14–16).

Abb. 14–16. Kleine Papier-Automatenbildchen in Quer- und Längsformat knapp vor dem Ersten Weltkrieg. Aufnahmenummer und Firmenadresse ermöglichen den Porträtierten Nachbestellungen bzw. Vergrößerungen. Abb. 14: 4,2 : 5,7 cm, Abb. 15: 4 : 2,8 cm, Abb. 16: 4,1 : 6,2 cm. (Archiv E. Maas).

Abb. 17. Automatische Vervielfältigung durch eine "Progress-Aufnahmemaschine" der Firma Grass & Worff, Berlin. Um 1912, Foto 4,4 : 4,5 cm, Umschlag 9 : 13,9 cm. (Archiv E. Maas).

Technisches Know-how, das der Automatenfotografie zugute kam, gewann die Industrie auch bei den selbsttätigen "Multiplikatoren", die von einem Negativ serienweise gewünschte Positivgrößen herstellten. So "druckte" beispielsweise die "Progress"-Aufnahmemaschine von Grass & Worff, Berlin 1912, in 1 Minute 60 Positive auf einen Bromsilber-Papier-Streifen (Abb. 17); diese Massenkonfektionierung läßt sich im übrigen noch etliche Jahre weiter zurückverfolgen. Josephos "Photographie am laufenden Band" konnte also Fachleute ebensowenig verblüffen wie die propagandistisch ausgeschlachtete Möglichkeit, eine Person kurz hintereinander in verschiedenen Posen aufzunehmen: Unter dem Schlagwort "American-Automatic-Photographie" bot z.B. die Ernemann AG, Görlitz, 1914 dem "strebsamen, geschäftskundigen Photographen Spezial-Apparaturen für Globus-Miniatur-Bilder" an. Im gleichen Jahr kreierte die bereits genannte Firma Grass & Worff "Kinophot – Ihr lebendes Porträt", wobei zu Blocks übereinandergehefteter Momentaufnahmen beim schnellen Abblättern den Eindruck einer Bewegung vermittelten "... ein Herr, seine Zigarre rauchend; ein Kind, mit der Puppe spielend usw. usw. ... Die größte Attraktion 1914" – die aber offensichtlich in diesem Jahr keine Chancen mehr hatte.

● Bleibt als Neuheit des Photomaton nur noch die "echte" Umkehr der Aufnahme auf Bromsilber-Papier, also das Entfallen des Zwischennegativs? – Auch dies war bekannt: So brachte z.B. die amerikanische Wernertype Process Co, Cleveland/Ohio, 1913 ein spezielles Papier für die Schnellfotografie auf den Markt, das für die Aufnahme von Porträts bei künstlichem Licht geeignet war; das nach 1 Sekunde Belichtungszeit und Entwickeln im Hydrochinon-Bad erhaltene Negativ-Silber wurde in einem anschließenden "Bleich- und

Umkehrbad" aufgelöst, welches das unbelichtete Bromsilber nicht angreift. Dieses wurde dann nach Zwischenbehandlung in einem Sulfitbad entweder mit üblichem Entwickler zu einem schwarzen oder in einer Sulfidlösung zu einem braunen Positiv umgesetzt. Zeitbedarf insgesamt 3 – 4 Minuten.

● Wie eine Zusammenfassung all dieser Entwicklungen und der Spezialitäten des 10 Jahre später beantragten Josepho-Patents liest sich ein 1914 erschienener "Neuheiten-Bericht" (vgl. hierzu die Photomatonbeschreibung oben):

"Einen neuen Photoautomaten bringt soeben der Elektro-Ing. Harry Ashton Wolff in Chavilles S.O. (Frankreich) heraus. Während die bisher existierenden Photoautomaten in der Hauptsache nur kleine Blechbilder nach der Art der bekannten amerikanischen Photographie liefern, erhält man mit dem vorliegenden neuen Photoautomaten in 3 Minuten ein fertiges, gewaschenes und getrocknetes Bromsilberbild ... Bekanntlich wurde, um eine Photographie auf Papier herzustellen, bis jetzt dazu ein Negativ angefertigt und von diesem Negativ das Positiv gedruckt. Bei dem vorliegenden automatischen Kopierverfahren wird jedoch das Bromsilberpapiernegativ durch besondere Manipulationen im Automat zu einem Positiv umgekehrt. Diese Umkehrung beschreibt der Erfinder wie folgt: Sowie das Negativ aufgelöst ist, wird das Blatt von einer kleinen Glühlampe (Anmerkung: vgl. "Umkehrbelichtung" in Abb. 5!) ... nochmals belichtet. Dann wird es wieder frisch entwickelt, fixiert, ausgewässert und schließlich gehärtet ... – ... Sehr interessant ist die Konstruktion des neuen Automaten. Ca. 50 automatische Manipulationen werden vermittest eines Stromverteilers nacheinander ausgelöst. ... Ein kleiner Elektro-Motor (1/80 PS), durch eine endlose Schraube mit ... Zeiger verbunden, wird durch das fallende Geldstück in Bewegung gesetzt. Sowie die "Finger" dieses Zeigers einige ... Kupferteile berühren, wird denen mit ihnen verbundenen Elektro-Magneten Strom zugeführt, die Magneten ziehen ihre Armaturen an, und die Photographie wird bearbeitet ..."

Abb. 18. Die Momentfotografie auf Jahrmärkten wurde auch gern als "Amerikanische Schnellphotographie" angepriesen; Porträts als Jux oder Gaudi ... Um 1912, 4 : 3,7 cm. (Archiv E. Maas).

Hierzu Format, Streifentransport und Serienaufnahmen des erwähnten Globus-Verfahrens von Ernemann: Was eigentlich war 1924 neu gegenüber dem technischen Stand von 1914?

Der kometenhafte Aufstieg von Photomaton läßt sich also nicht allein aufgrund der überragenden neuen Technik erklären!

Abb. 19. Lithographie von Heinrich Zille: Animierdame für einen Fotografenstand auf dem Jahrmarkt. 23,5 : 20 cm. (Archiv E. Maas).

Nur Bedarfsdeckung?

1929 erschien die aufschlußreiche Pressemeldung, daß die deutsche "Photomaton A.-G." im ersten Jahr ihres Bestehens in etwa 80 deutschen Städten Photomatonapparate aufgestellt habe! Man schätzte, daß täglich rund 8000 Personen in die Photomatonkabinen gingen, was im Monat gegen 200 000 Bildstreifen ausgemacht hätte. – Fotografie als Joke oder Bedarfsdeckung? (Die dritte Möglichkeit, ein künstlerisch wertvolles Porträt als Kunstgegenstand scheidet auf Grund des Verfahrens von vornherein aus.)

Um diese Fragen geht es bereits seit den Jahren, in denen die Fotografie Allgemeingut zu werden begann. Ab den 60er Jahren des vorigen Jahrhunderts standen den aus dem Malermetier stammenden – oder sich ihm zugehörig empfindenden – Fotografen mit künstlerischen Ambitionen die mehr handwerklich ausgerichteten Kollegen gegenüber, die eine fachlich saubere Arbeit ohne höheren Anspruch lieferten und dementsprechend eine andere Klientel versorgten. Mobil wurde die letztgenannte Gruppe im Laufe der 90er Jahre in Form der "Haus- und Hofphotographen", die durch ihre regionale Beweglichkeit im ersten Jahrzehnt des neuen Jahrhunderts verstärkt mit der Postkartenfotografie den stadtferneren Bereich abdeckten und damit immer mehr der Fotografie den Charakter des Außergewöhnlichen zu nehmen begannen. Von hier aus war es dann – besonders in den letzten Jahren vor dem Ersten Weltkrieg – lediglich ein Schritt bis zum Volkssport "Photographie" mit technisch einfacheren Verfahren und Geräten (von den Fachfotografen oft verächtlich als "Knipsen" abgetan).

Parallel dazu lief in Deutschland seit den 80er Jahren die Jahrmarktfotografie, die vom Porträtierten selbst als Spaß aufgefaßt wurde (Abb. 18) und deren Flair Heinrich Zille wohlwollend mit dem Zeichenstift einfing (Abb. 19).

67

Abb. 20. Postkartenporträts aus der Atelier-Kette Samson & Co. im Ersten Weltkrieg; von links nach rechts oben: Frankfurt a.M., Stuttgart, Karlsruhe, Mainz; von links nach rechts unten: Wiesbaden, Barmen, Gelsenkirchen, Brüssel. (Archiv E. Maas).

Umgekehrt hatte das Porträtfoto auch bereits sehr früh einen offiziellen Charakter als Identifikationsmittel. In den 60er Jahren des 19. Jahrhunderts gab es bereits untrennbar mit Dauereintrittskarten verbundene Fotos im Visitformat, beispielsweise für die Pariser Weltausstellung. In den beiden letzten Jahrzehnten des vergangenen Jahrhunderts müssen dann solche durch Hohlniet oder Prägestempel gesicherte Bildausweise als Abonnementfahrkarten in hohen Stückzahlen in Gebrauch gewesen sein, da solche "Wegwerfartikel" heute noch verhältnismäßig häufig auffindbar sind und gegenwärtig sogar zu einem eigenen Sammelthema zu werden scheinen.

Mit dem Ausbruch des Ersten Weltkrieges erfüllte jede der angedeuteten Grundausrichtungen der Fotografie ihre Aufgabe auf die eigene Weise: Von den Offizieren sind Ganzaufnahmen bekannter Atelierfotografen aus den Augusttagen 1914 erhalten, bei denen die traditionelle Salonatmosphäre des Aufnahmeraumes in einem eigentümlichen Gegensatz zu späteren Frontfotos mit Feldtelefon, Eisenbett und gerahmtem Fami-

lienbild neben dem abgestoßenen Emaille-Lavoir steht. Hochbetrieb herrschte zu dieser Zeit auch bei den weniger arrivierten Fotografen, die sich jetzt allgemein von den traditionellen dickpappigen Bildern im Visit-, Cabinet- oder sonstigen Schmalformaten auf die dünne Postkarte für den Waffenrock umstellten. Großfirmen wie Samson & Co., G.m.b.H. mit ihren zahlreichen Atelierfilialen waren hier zunächst im Vorteil, weil sie sich bereits in den Vorkriegsjahren weitgehend auf Schnellfotografie und Postkartenformat eingestellt hatten (vgl. die ausgewählte Serie zwischen 1914 und 1918 in Abb. 20, die sogar eine Filiale im besetzten Belgien nachweist). Im ersten Kriegsjahr bauten in vielen Großstädten Ateliers ihre Kapazitäten aus oder etablierten sich neu, die bereits in ihren Firmennamen auf Schnellfotografie hinwiesen; Abb. 21 zeigt derartige Bilder der Foto Automatic Union m.b.H. Wiesbaden, der Foto-Automatik Union G.m.b.H., München, sowie der American (!) Automatic Photo Cie., Frankfurt a.M.

Abb. 21 (rechts). Während des Ersten Weltkrieges stieg der Bedarf an Porträtbildern – besonders für den Feldpostverkehr – gewaltig an. Firmennamen enthielten häufig den Hinweis auf "Automatische Photographie". Nebenstehend typische Bildbeispiele aus drei deutschen Großstädten: oben Wiesbaden, Mitte München, unten Frankfurt a.M. Einzelfotos Postkarten. (Archiv E. Maas).

27. XII 1915

Abb. 22. "Lieber Onkel! Zur Erinnerung an Papas Urlaubszeit haben wir diese Karten machen lassen, wovon ich Dir eine stifte...". – Einige Fotografen konnten in der Heimat weiterwirken; die eingezogenen Kollegen sorgten neben ihren militärischen Aufgaben auch für entsprechende Bildpostkarten an die Heimat. (Archiv E. Maas).

"Abschied des Kriegers" – das war die vor der natürlichen, heimatlichen Kulisse (Haustür, Gartenzaun, Kriegerdenkmal von 1870/71) aufgenommene Thematik der erwähnten "Haus- und Hofphotographen" (Abb. 22). Echtes vermischte sich hier mit Gestelltem, Theatralischem. Auch hier ging es wiederum um die persönliche Erinnerung als Postkarte; sie war und blieb den ganzen Krieg über der Informationsträger zwischen Heimat und Front – und das nicht zuletzt für die des Schreibens Ungeübten! Denn dieser "Bildkontakt" entwickelte sich schon bald von beiden Seiten her: Die eingezogenen Fotofachleute erledigten nicht nur die kriegsbedingten Aufgaben (Ballon-, Flugzeug- und Fernrohrfotografie sowie die allgemeine Kriegsberichterstattung), sondern versorgten auch ihr Regiment mit individuellen Serien für die Feldpost.

Wegen dieser Doppelfunktion der Postkarte als Bild- und Nachrichtenträger findet man kleinformatige Bilder (die bis dahin so beliebten "Miniaturphotos", s. Abb. 14–16) nur noch in dienender Funktion als Erinnerungsschmuckstück, z.B. als Brosche und Anhänger.

Aber auch die Amateurfotografie hatte weiter ihre Bedeutung: Ein großer Teil der später veröffentlichten Bilder über den ersten Weltkrieg stammt aus den Alben von Offizieren, die "inoffiziell" als Hobbyfotografen tätig waren (vgl. die Flut von "Regimentsgeschichten" aus den 20er und 30er Jahren).

Das Foto ist also im ersten Weltkrieg das wichtigste private Kommunikationsmittel gewesen und durchaus als Gebrauchsgegenstand empfunden worden.

Eine heute selbstverständliche Funktion des Fotos jedoch ist aus dem Ersten Weltkrieg nur in Relikten vereinzelt erhalten: Das Foto als Legitimationsmittel. Als nach dem Kriege besonders im französisch besetzten Rheinland Legitimationspapiere (Passierscheine) mit Foto des Inhabers zum täglichen Leben gehörten, machte sich der Mangel an Kleinporträts (= Paßfotos!) bemerkbar. Viele der uns erhaltenen Papiere dieser Art sind mit mehr oder weniger geschickt ausgeschnittenen Brustbildern ausgestattet, die noch heute deutlich ihre Herkunft vom Feldpostkartenfoto erkennen lassen.

"Photomaton – ein sicherer Tip"

Von der Börse her betrachtet war also die Ausgabe der Photomatonaktien – und die Spekulation im Hintergrund – eine folgerichtige, auf der Marktbeobachtung beruhende Entscheidung: Das Publikum hatte sich an das Foto als Kommunikationsmittel und Gebrauchsgegenstand gewöhnt; der Fotograf hatte seine frühere zentrale Stellung als Berater eingebüßt. Der Preis war nicht mehr das Honorar für einen Künstler, sondern die Bezahlung einer Ware (Photomaton-Konkurrenten arbeiteten sogar mit Hilfskräften in geschlossenen Kabinen, die Roboter-gleich die fertig entwickelten Fotos nach außen gaben!).

Photomaton – das bedeutete eine Problematik, vor der die Gesellschaft auch heute noch steht: Arbeitet der Mensch insgesamt gesehen billiger als die ausgereifte Maschine?

Für die Güte der Photomaton-Automaten bürgte seinerzeit der Name der Weltfirma Siemens, die in Berlin ein spezielles Werk mit etwa 3 000 Arbeitern errichtet hatte und Zeitungsberichten zufolge 1928/29 ausgebucht war. Das Geschäft mit den Photomaton-Fotos (vgl. Abb. 23) florierte, zumal Vergrößerungen einen erheblichen Zusatzgewinn einspielten (vgl. Abb. 24), und es gelang, den Einwand der Konkurrenz, daß die Fotos als seitenverkehrt für Paßzwecke ungeeignet seien, durch Einbau eines Umkehrprismas zu entkräften. Jedes einzelne der so aufgenommenen Bilder mußte aber auf der Rückseite den Stempelaufdruck "SEITENRICHTIG" tragen.

Allerdings – den endgültigen Beweis für die Berechtigung der genannten außerordentlich hohen Kursgewinne konnte die Photomatongesellschaft nicht mehr antreten: Die Millionenbilanzen zerschmolzen noch im gleichen Jahr im Strudel des "Schwarzen Freitag" in New York und in der folgenden Weltwirtschaftskrise.. Pressehinweise der unmittelbar anschließenden Jahre berichteten von Photomaton-Pleiten in England und Frankreich, und auch die Deutsche Photomatongesellschaft erschien erheblich gerupft: Für das Geschäftsjahr 1931 wurde ein Verlust von 30 356 RM ausgewiesen, und insgesamt mußte man zu dieser Zeit einen Verlust von 226 376 RM auf neue Rechnung vortragen.

–– Wie hatte doch wenige Jahre vorher bereits ein Branchenkenner geweissagt: "Die Gesellschaft wird die Kurse hochhalten und daran verdienen wollen...".

Abb. 23. Die meisten erhaltenen Photomatonbildchen stammen aus den Jahren 1929–1931. Als Serienfotografien zeigen sie die Porträtierten in für sie mehr oder weniger vorteilhaften Stellungen – oft kommt der für Amateurfotografien typische "Schnappschußcharakter" zum Vorschein.
–– In Abb. 1 auf S. 60 sind zwei bzw. drei im Streifen aufeinanderfolgende Posen wiedergegeben. Das am besten gelungene Foto wurde bisweilen unter ein Postkarten-Passepartout geschoben und so verschickt. (Archiv E. Maas).

Abb. 24. In solchen Umschlägen mit dem Photomaton-Emblem (Gerät mit davorstehendem Drehschemel) nahm man seine Porträtserie mit nach Hause. Der Aufdruck informierte über die Vielfalt der angebotenen weiteren Ausführungsmöglichkeiten: Größere Formate, Farbigkeit, "künstlerische Photomaton – Skizzen" in Schwarz oder Sepia. Kuvert, 6,5 : 12,7 cm. (Archiv E. Maas). – Der Stempelaufdruck (hier: "Warenhaus zum Strauss") steht geradezu exemplarisch für die Tatsache, daß Photomaton sehr häufig eine Sache der Kaufhäuser war, identisch mit der zu dieser Zeit in den Fachzeitschriften stark beklagten "Schleuderkonkurrenz".

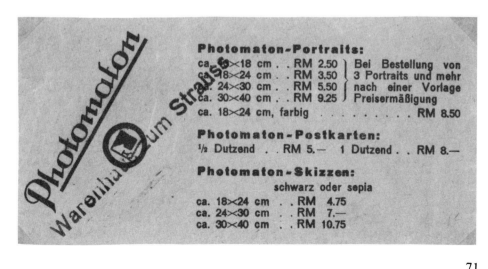

Literatur

a) Patente im Deutschen Reich über Fotoautomaten 1889 – 1925 (Übersicht)

"Paten-tiert im Deutschen Reiche ab"	"Ausgege-ben am"	Patent-Nr.	Anmelder bzw. Erfinder	Titel des Patents
20.02.1889	11.03.1890	51081	Ch. Föge, J. Raders, C. Griese; Hamburg	Apparat zur selbstthätigen Herstellung von Photographien.
19.03.1889	14.08.1890	53070	K. Ramspeck, B. Schäfer; Hamburg	Apparat zur selbstthätigen Aufnahme und Fertigstellung von Photographien
17.09.1889	26.07.1890	52920	Th.E. Enjalbert, Paris	Durch Einwerfen einer Münze zu bethätigender Apparat zur selbstthätigen Herstellung von Photographien
07.11.1889	14.11.1891	59302	The Automatic Photograph (Foreign and Colonial) Co. Ld., London	Apparat zur selbstthätigen Herstellung von Photographien
16.07.1890	12.09.1891	58613	Conrad Bernitt, Hamburg	Apparat zur selbstthätigen Aufnahme und Fertigstellung von Photographien
08.11.1890	08.04.1892	61806	C. Sasse, Hamburg	Apparat zur selbstthätigen Herstellung von Photographien.
19.12.1890	05.04.1892	61663	J.M.M. Payne, geb. Harms, Hamburg	Apparat zur selbstthätigen Aufnahme und Fertigstellung von Photographien
13.01.1891	03.10.1892	64419	The Fisher Specialty Manufacturing Company, Minneapolis	Photographie-Automat
23.02.1892	12.08.1893	70090	H.J. Thiroux, Paris	Photographie-Automat
16.02.1893	07.10.1893	71350	C. Sasse, Hamburg	Apparat zur selbstthätigen Herstellung von Photographien
13.08.1893	26.02.1895	79860	P.E. Mallet, Paris	Photographie-Automat
05.11.1893	12.03.1895	80030	W.J. Baker, Scarborough	Führungsvorrichtung für den Tauchkasten von Photographie-Automaten
16.06.1898	01.07.1902	131568	The Automatic-Photo-Machine-Syndicate, Limited, London	Einrichtung zur Führung der belichteten Platten durch kreisförmig um einen rotierenden Plattenträger angeordnete Entwicklungsbäder in Photographieautomaten
21.06.1899	19.03.1901	118576	J.E. Gregory, New York	Entwickelungsvorrichtung für Photographie-Automaten
22.07.1902	04.02.1904	147410	G.N. Pifer, Cleveland	Vorrichtung an Photographie-Automaten zum Kippen der die Platten in den Bädern tragenden Behälter
31.10.1902	25.04.1904	150278	R. Barrett & Son Limited, London	Photographie-Automat mit heizbaren Bädern
22.01.1908	19.04.1910	221010	R.-F.F. Roupnel, Bourg-la-Reine	Selbsttätige Vorrichtung zum Photographieren, die durch einen durch ein eingeworfenes Geldstück ausgerückten Antriebsmechanismus gedreht wird
29.09.1908	02.11.1909	215585	H. Wolff, Paris	Wechsel- und Fördervorrichtung für Automaten zum Herstellen von Photographien
15.12.1909	23.12.1911	242103	G.Ch. Beidler, Rochester	Vorrichtung zum Niederdrücken und Ausbreiten von Bildbändern im Fixierbad für photographische Serienapparate mit stetigem Betrieb
29.06.1911	24.11.1914	280617	H. Doyle, New York	Selbstthätiger Photographenapparat, bei dem die lichtempfindlichen Platten aus einem Plattenmagazin in einer Führung vor eine Belichtungsöffnung gelangen, vor der sie in bekannter Weise durch einen durch die Führung hindurchtretenden Stift o. dgl. aufgehalten werden
16.03.1912	03.07.1914	275913	H. Wolff, Chaville	Photographierautomat
31.05.1912	14.10.1913	265611	K. Leidig, Breslau	Photographischer Automat mit einer als Plattenvorratsbehälter dienenden, um ihre Mittelpunktachse drehbaren Zellentrommel
03.01.1915	07.09.1916	293977	J. Trautmann, Straßburg	Photographierautomat
08.05.1917	02.09.1919	314137	E. Köhnen, Essen	Photographie-Selbstverkäufer
09.10.1917	16.09.1919	314434	E. Köhnen, Essen	Photographie-Selbstverkäufer
11.02.1920	26.09.1922	359702	Zema Demetrio, Chiasso	Photographie-Selbstverkäufer
30.03.1920	14.12.1920	330509	J. u. A. Menitsch, Westerholt	Lichtbildautomat
07.02.1924	13.01.1925	407814	A.M. Josepho, New York City	Photographie-Selbstverkäufer
18.09.1925	19.03.1929	473322	Photomaton Parent Corporation Limited, London	Photographischer Selbstverkäufer

Die Autoren danken der Hessischen Landesbibliothek Darmstadt für die Möglichkeit zur Einsichtnahme in die einschlägigen Patente.

b) Zeitschriften (zeitgenössische Literatur)

Die Photographische Industrie – Fachblatt für Fabrikation und Handel aller photographischer Bedarfsartikel, Berlin; Jahrgänge 1906.– 1932
Der Photograph – Fachblatt für sämtliche Photographen und Händler photographischer Bedarfsartikel, Bunzlau; Jahrgänge 1930 – 1933.
Die Umschau – Illustrierte Wochenschrift für die Fortschritte in Wissenschaft und Technik, Frankfurt a.M.; Jahrgang 1929.

Timm Starl

Die Bildbände der Reihe "Die Blauen Bücher"

Zur Entstehungs- und Entwicklungsgeschichte einer Bildbandreihe

Bibliographie 1907 – 1944

Die Entstehung der Bildbände (1) wird gern vor dem Hintergrund ihrer technischen Realisierbarkeit gesehen. Die Entwicklung neuer Reproduktionsverfahren begünstigte sicher die Herausgabe von fotografisch illustrierten Büchern, doch diese Verfahren entstanden aus dem Bedürfnis der Menschen nach neuen Sehweisen. Nur in der Veränderung der Art, wie sie ihre Umwelt und sich selbst beobachteten und sehen wollten, sind die Anfänge des Bildbandes zu begründen.

Entsprach das fotografische Porträt in den 40er Jahren des 19. Jahrhunderts dem Wunsch nach einer "naturgetreuen" Selbstdarstellung der Zeitgenossen, so genügten Stahlstich und Holzschnitt nicht mehr dem Verlangen nach "objektiver" Wiedergabe in Zeitschriften und illustrierten Büchern. Denn die Fotografie hatte sich als Medium längst durchgesetzt, das Betrachten von Fotos in Schaukästen, Alben und der fotografischen Erinnerungsbilder auf den Kommoden gehörte zu den alltäglichen Erfahrungen. Technisch möglich war zwar die Ausstattung von Büchern mit Originalfotografien, doch dies war zu kostspielig, und so blieb es bei wenigen Beispielen. Erst die Erfindung des Lichtdrucks in den 60er Jahren (2) erlaubte eine Reproduktion von Bildern auch in größeren Auflagen. Die Fülle von Mappenwerken, die in den folgenden Jahrzehnten erschienen, ist ein Indiz für jenen seit der Erfindung der Fotografie gestauten Bedarf an einem "getreuen" Abbild der Umwelt auch in gedruckter Form (3).

Neue, verbesserte und für die Massenproduktion geeignete Reproduktions- und Druckverfahren schu-

fen bis zur Jahrhundertwende dann jene Möglichkeiten, die die Herstellung gleichermaßen anspruchsvoller wie auflagenstarker Bücher mit fotografischen Illustrationen erlaubten. In einem rückblickenden Beitrag über Bildbandreihen wird 1929 auf diese Zeit Bezug genommen: "... so hat auch die Entwicklung der Photographie in den letzten Jahren die Unternehmungslust mancher Verleger diesem Gebiete zugewandt ..." (4). Erst durch diese Verbreitungsmöglichkeiten konnte die Bildtechnik der Fotografie jene Seite ihres Wesens erfüllen, die sie als "Universalsprache ohne Worte" (5) auszeichnet. Neben Zeitschriften und dem Film wird der Bildband zum bedeutenden Träger fotografischer Informationen.

Die ersten Bildbände

Im Frühjahr 1902 gründete Karl Robert Langewiesche (1874–1931) den gleichnamigen Verlag in Düsseldorf. Mit einem "Eröffnungs-Rundschreiben" kündigte er an, "vornehme Massenartikel" (6) zu bringen. Die erste Veröffentlichung trug den programmatischen Titel "Arbeiten und nicht verzweifeln", eine Aufsatzsammlung von Thomas Carlyle. "Inhalt und Titel dieses Erstlings, sollten dem ernsteren Publikum andeuten, wes Geistes Kind der neue Verlag zu sein trachte und wo die Reise hinaus solle" (7).

73

Abb. 1. Der erste Bildband: "Griechische Bildwerke" von Max Sauerlandt. Schutzumschlag der ersten Ausgabe von 1907.

Anfang 1907, nachdem zwanzig Titel erschienen waren (8), begann Langewiesche mit den Vorarbeiten für den ersten Bildband. "Nach zehnmonatiger Vorbereitung erschien Ende Oktober 1907 die erste Auflage der 'Griechischen Bildwerke'" (9) von Max Sauerlandt (Abb. 1). Zwar hatten in den Jahren davor andere Verlage bildbandähnliche Produktionen veröffentlicht, wie z.B. jene Städtebände im Querformat, die vorwiegend den Touristen als Souvenir angeboten wurden (10); doch diese hatten noch stark albumähnlichen Charakter, insbesondere in der Präsentation der Bilder. Und so müssen die "Griechischen Bildwerke" als jenes Werk apostrophiert werden, das die Geburtsstunde des fotografischen Bildbandes symbolisiert, vereinigt doch erst dieses Buch weitgehend alle jene Attribute, die auch heute noch zur Definition des Bildbandes herangezogen werden.

Die "Griechischen Bildwerke" eröffneten zugleich eine neue Buchreihe des Verlages: "Die Welt des Schönen" (Abb. 2). Der Reihentitel schien auf allen Bildbänden bis 1912 auf, wurde danach aber gänzlich fallengelassen. So war "Die Welt des Schönen" die erste Bildbandreihe im deutschsprachigen Raum – den Begriff "Die Blauen Bücher" gab es noch nicht. Die erste Erwähnung dieser Wortprägung erfolgte in einem Weihnachtsrundschreiben, das mit "Anfang Dezember 1907" datiert ist und dem u.a. ein kleines, in Blau gehaltenes Aushangplakat beigelegt wurde (11). In die Bildbände wurde der Begriff erst ab 1909 aufgenommen.

Der erste Bildband, bei dem die Fotografie nicht bloß als Reproduktionstechnik Verwendung fand, waren die "Bilder aus Italien", die 1909 in einer ersten Auflage von 30.000 Exemplaren erschienen. Es handelte sich um eine Auswahl von überwiegend Amateurarbeiten: "Etwa 200 deutsche Amateure haben dem Verlage für dies Werk ihre italienischen Aufnahmen zur Verfügung gestellt. Es mögen im ganzen annähernd 4000 Aufnahmen vorgelegen haben. Die Auswahl wurde durch den Wunsch bestimmt, kein Bild aufzunehmen, das nicht über das rein Vedutenhafte durchaus hinausginge, keines also, dem nicht als Bild an sich ein starker und gewisser Reiz eignete." (12). Das mit großformatigen Wiedergaben und spärlichen Bildtexten ausgestattete Buch wurde richtungsweisend für die ganze Gattung der Bildbände innerhalb des Verlages.

1915 erschien das heute noch bekannteste Buch der Reihe: "Die Schöne Heimat". Zur Entstehungsgeschichte notierte der Verleger: "Anfang 1913 nämlich hatte mein Bruder mir einmal einen solchen Band, besonders im Hinblick auf die Deutschen im Auslande, vorgeschlagen. Ich aber sah damals keine Möglichkeit, auf so beschränktem Raume eine so umfassende Aufgabe erträglich zu lösen. Nun aber empfand ich, daß doch eine Möglichkeit vorhanden sein müsse, nämlich dann, wenn man die Aufgabe so stellte: Deutschland in Bildern nicht darzustellen – denn dazu hätten Tausende von Blättern gehört – sondern anzudeuten, wie der Künstler mit den wenigen Strichen der Handzeichnung das Leben anzudeuten vermag." (13). Langewiesche nannte das Buch sein "Gesellenstück" (14) – es sollte der erfolgreichste Bildband im deutschsprachigen Raum werden. In immer wieder veränderten Fassungen erlebte "Die Schöne Heimat" bis 1971 einunddreißig Auflagen mit insgesamt 619.000 Exemplaren.

Der Erfolg der Bildbände führte nun zu einer verstärkten Produktion innerhalb des Verlagssortiments. Waren in den 51 Titeln der Reihe "Die Blauen Bücher" bis 1924 nur 11 Bildbände enthalten, so stieg ihr Anteil ab Mitte der 20er Jahre stark an. Von den in den dreißig Jahren von 1925 bis 1944 erschienen Blauen Büchern waren gut die Hälfte als reine Bildbände gestaltet. Dieser Tatsache ist es zuzuschreiben, daß "Die Blauen Bücher" oftmals als bloße Bildbandreihe bezeichnet werden.

Alltag und Bilder

Die ersten Bildbände entstanden in einer Zeit, die von starken Monopolisierungstendenzen in der Wirtschaft geprägt war. Eine rapid zunehmende Arbeitsteilung, insbesondere in den Büros und in der Verwaltung, ließ eine kleinbürgerliche Angestelltenschicht entstehen, die der Monotonie der Arbeit mit einer Flucht aus dem Alltag in ihrer Freizeit begegnete (15). Auch der langjährige Wahlspruch des Verlages Langewiesche "Arbeiten und nicht verzweifeln" steht für die-

DIE SAMMLUNG
„DIE WELT DES SCHÖNEN",

welche diese „griechischen Bildwerke" eröffnen, wird in einander langsam folgenden, jemalig in sich abgeschlossenen und selbständigen Bänden fortgesetzt werden. Der über die bildenden Künste hinaus auch auf die anderen Gebiete des Schönen weisende Titel macht das Aussprechen eines „Programms" entbehrlich. — Die den zunächst als „Bilder-Bücher" gedachten Bänden beizugebenden Texte werden kurz und von schlichter Zurückhaltung sein. — Die technische Herstellung wird nur ersten Firmen anvertraut werden, und wenn sich auch bei dem einzuhaltenden Einheitspreise des Verlages (M. 1.80) jeder eigentliche Luxus von selbst verbietet, so sollen die Werke der Sammlung dennoch in gewissem Sinne als „äußerste Leistung" modernen Buchgewerbes angesprochen werden dürfen.

Abb. 2. Verlagswerbung für die Bildbandreihe "Die Welt des Schönen" (aus: Max Sauerlandt, Griechische Bildwerke, 1907, Werbeanhang, unpag.).

se Entwicklung. In einer Verlagswerbung für die in diesen Jahren im Verlag Hermann A. Wiechmann erschienenen "Heimatbücher der Menschen" – eine Reihe mit bildbandähnlicher Ausstattung – wird dieser Abschirmung der Menschen von einer ökonomisch geprägten Außenwelt prägnant Ausdruck verliehen: "Geht nur! ihr sucht nicht lang! ... überall findet ihr die Einsamkeit, welche euch wahre Lebenswerte zeigen, Lebensfreude und Lebensglück bringen kann. ... Kehrt ihr dann heim in den Dunst eurer Städte, dann bringt ihr neue Lebenskraft, neue Erkenntnis mit." (16).

Buch und Kunst waren schon im 19. Jahrhundert bevorzugte Sammelobjekte des Bildungsbürgertums. Konnte man ein Kunstwerk nicht erwerben, so diente dessen fotografische Reproduktion als Ersatz. Das wachsende Interesse auch kleinbürgerlicher Schichten bewirkte in der zweiten Hälfte des Jahrhunderts eine zunehmende Produktion billiger Bücher, die zum Gebrauch für die "niederen Stände" bestimmt waren. Mit dem Kauf eines Kunstbandes, früher aus Preisgründen unerschwinglich, erwarb man gleichermaßen eine Sammlung, die sowohl dem Wunsch nach Beschäftigung mit der Kunst als auch dem Drang nach Repräsentation (im Bücherschrank) nachkam. Zudem war die "Aneignung" der in den Bildbänden präsentierten

Kunst einfach zu vollziehen: mit der Betrachtung der Abbildungen konnte deren Inhalt auch ohne den Aufwand des Lesens erfaßt werden.

Ein weiteres, die Menschen beeinflußendes Moment jener Jahre war eine durch die politische Situation hervorgerufene Krisenstimmung. Der nahende Krieg bewirkte eine zunehmende Beschäftigung mit der "nationalen Frage".

All diesen Bedürfnissen und Interessen einer überwiegend kleinbürgerlichen Kundschaft kam Langewiesche mit der Konzeption der Bildbände (und ebenso der anderen Verlagspublikationen) entgegen. Deren Themenkatalog kann verkürzt mit den Titeln "Kunst" und "Der Deutsche Gedanke in der Welt" (17) beschrieben werden, wobei der Verleger selbst sämtliche Bildbände dem Titel "Kunst" unterordnete: "... hier bei den Kunstbänden trat von Anfang an ein neuer Buchtyp auf" (18). Und auch die Öffentlichkeit identifizierte den Anspruch des Verlegers; in einer Rezension von 1916 wird "Die Schöne Heimat" als "Kunstband" bezeichnet (19). Und in einer Sammelbesprechung der Blauen Bücher schreibt J. Beer 1928: "... da es sich bei den Blauen Büchern dem Inhalte nach vorwiegend um die deutsche Kunst handelt ..." (20).

Thematische Grenzen

Diese thematische Fixierung wurde auch nach dem ersten Weltkrieg nicht aufgegeben und sollte wesentlich zum Erfolg der Reihe beitragen. Waren die ersten Produktionen noch überwiegend den Kunstwerken früherer Epochen wie Antike und Barock gewidmet, mehrte sich ab den 20er Jahren die Reflexion auf jüngere, zeitgenössische Tendenzen. Doch auch diese Publikationen waren inhaltlich nicht wirklich aktuell, sondern faßten die Entwicklung mehrerer Jahre in meist einem Band zusammen. Als Beispiele seien "Der künstlerische Tanz unserer Zeit" (1928) und "Das Werk" (1931) genannt, die zu einem Zeitpunkt erschienen, als ihre Themen die Aura des Modischen bereits verloren hatten.

Bei der inhaltlichen Gestaltung, vor allem aber bei Neuauflagen hat Langewiesche immer sehr aufmerksam die Vorschläge und kritischen Anmerkungen von prominenten, aber auch von unbekannten Lesern seiner Bücher berücksichtigt. Wiewohl gerade sie keinen Niederschlag in den folgenden Auflagen von "Menschen der Zeit" (1930) erfuhr, sei hier wegen ihrer Originalität die Karte eines Pfarrers aus Hirschberg zitiert; dieser empfiehlt für eine Neuauflage "die Aufnahme der Bildnisse folgender sechs bedeutender Persönlichkeiten ...: Pfarrer D. Gottlieb Traub, Erich Ludendorff, Dr. Johannes Müller, H. Lhotzky, Rainer Maria Rilke und Rudolf Kassner." (21). Die zahlreich vorhandene Korrespondenz mit den Käufern der Bücher belegt das Interesse Langewiesches, über die alleinige Beurteilung der Absatzzahlen hinaus die Reaktion des Publikums zu gewichten und deren Ansprüche in die weitere Produktion eingehen zu lassen.

Die Bildbände der Reihe "Die Blauen Bücher" blieben in ihrer engen thematischen Begrenzung auf die bildliche Dokumentation speziell deutscher Kunst und Kultur, unter Weglassung avantgardistischer Strömungen, auch in den Jahren nach dem Tod des Verlegers (1931) unverändert. In der Zeit der nationalsozialistischen Herrschaft wurden sie gar als "nationales Kulturgut" eingestuft. Otto Scheele schreibt in einem Aufsatz 1933: "Das Werk des Verlages Karl Robert Langewiesche ist gar nicht hoch genug einzuschätzen, und wir dürfen als Nation auf eine solche Leistung stolz sein." (22).

Ausstattung und Preisgestaltung

Unter mehreren Faktoren, die zum Erfolg der Bildbände führten, sind vor allem jene zu nennen, die Langewiesche mit "Typisierung der Produktion" (23) umschrieb. So blieben die äußeren Attribute der Bildbandreihe bis heute weitgehend unverändert: das Format der Bücher von rund 26,5 cm Höhe und 19 cm Breite, sowie Material, Gestaltung und Farbe von Einband und Schutzumschlag und die Plazierung von Einführungs- und Bildtexten. Langewiesche gehörte zu den ersten Verlegern, die das damals neu entwickelte Kunstdruckpapier für große Buchauflagen verwendeten (24). Nicht unberücksichtigt dürfen sicherlich auch die teils ganz neuartigen Werbemethoden im Hinblick auf Klappentexte, Plakatentwürfe, Rundbriefe an den Buchhandel bleiben. Auf sie muß hier jedoch nicht näher eingegangen werden, weil sie für die Bildbandproduktion nicht typisch waren (25). Früh erkannt wurde die Anwendung der Fotografie als werbendes Medium. In den Prospekten für die Bildbände wurden oftmals Fotos verwendet; und bereits der Schutzumschlag des ersten Bildbandes wurde mit einer Fotografie illustriert (Abb. 1).

Entscheidend war aber die Präsentation der Bilder. Sie wurden fast ausschließlich ganzseitig, kleinere Formate meist einseitig reproduziert. "Bei allen Bänden liegt der Akzent auf dem Abbildungsteil." schreibt J. Beer 1928 (26). Nichts störte den Betrachter bei dem Genuß des Schauens, es war als ob er das Bild in einem Museum betrachtete. Die klein gedruckten Bilderunterschriften waren kurz und aussagestark. Das Buch wurde zum "Schaubuch" (27), der Leser zum verweilenden Beschauer, Kunst konnte zu Hause "konsumiert" werden: "... war es Karl Robert Langewiesche, der den Massen das neue Kunstverständnis ermöglichte, nicht durch Lehre, sondern durch Anschauung ..." (28). Die Kombination von großformatiger Bildwiedergabe und kurzem, informativem Bildtext blieben das wesentliche Kriterium für die Gestaltung von Bildbänden (29).

Die gleichbleibende Ausstattung verminderte die Herstellungskosten und erlaubte, die Bücher vergleichsweise billig anzubieten. Die kartonierte Ausgabe eines Bildbandes kostete 1,80 Mark, die in Leinen gebundene 3,– Mark, bei einem Umfang von meist 80 bis 120 Seiten. Die Preise wurden in den Büchern vermerkt und über mehrere Jahre beibehalten (30). Der Verkaufserfolg der ersten Bildbände wird auch zum guten Teil auf die Preisgestaltung zurückzuführen sein. Über die erste Auflage der "Griechischen Bildwerke" berichtet der Verleger: "Sie war nach drei Wochen in zwanzigtausend Exemplaren ausverkauft" (31). Auflagenhöhe und Preis führten dazu, daß "Die Blauen Bücher" immer wieder mit dem Attribut "Volksbuch" etikettiert wurden (32).

Das Bildmaterial

Seit dem Erscheinen des ersten Bildbandes war die Wiedergabe des fotografischen Bildmaterials nie bestimmt von foto-ästhetischen Tendenzen oder dem Berühmtheitsgrad der Fotografen. Entscheidend war der Inhalt des Bildes, also wieweit eine Fotografie zur Gestaltung eines Buchthemas beitragen konnte – ohne daß dabei die ästhetische Dimension vollkommen unberücksichtigt blieb. Eine Rezension des Bandes "Die Schöne Heimat" von 1916 befaßt sich ausführlich mit dieser Frage: "Auch vom Standpunkt der künstlerischen Photographie ist das Werk sehr gut zusammengestellt. Die Bilder sind zum Teil Muster des hier Erreichbaren und erfüllen fast alle die doppelte Aufgabe künstlerischer Lichtbildnerei: in sich ein Bild, stimmungsvoll und abgewogen zu sein, und zugleich einen bestimmten Gegenstand porträtmäßig, klar, deutlich und charakteristisch darzustellen. Es ist kein langweiliges Bild darunter, das nur als Erinnerungsanhalt etwa Wert hätte: jedes ist auch als Bild ein Genuß. Es ist aber auch keins zu finden, wie sie jetzt manchmal von Liebhaberphotographen ausgestellt werden, das der Malerei ins Handwerk pfuschte und gegenstandslose, rein malerische Wirkungen zu erzielen suchte – in denen der beste Lichtbildkünstler dem Maler gegenüber immer Stümper bleiben wird." (32).

Es sind zwar auch bekannte Fotografen wie Hugo Erfurth, Rudolf Koppitz, Nicola Perscheid u.a. in den Bildbänden vertreten, man findet jedoch überwiegend Arbeiten von weniger prominenten Bildautoren und vor allem von zahlreichen Amateuren. Bis 1944 erschienen nur vier Bände, die zur Gänze oder überwiegend Bilder eines einzigen Fotografen enthielten (34). Doch diese entstanden meist als Auftragsarbeiten, wenn das vorhandene Bildmaterial das Thema nicht adäquat wiedergeben konnte. Auch das heute als bedeutendes Dokument der Neuen Sachlichkeit anerkannte, mit dem Untertitel "Technische Lichtbildstudien" versehene Buch "Das Werk" (1931) sollte nicht außerordentliche fotografische Leistungen präsentieren, sondern das Interesse an den technischen "Dingen" in den Jahren davor dokumentieren.

Die Bildbände der Reihe "Die Blauen Bücher" müssen heute als Prototyp der fotografisch illustrierten Bildbandreihe gelten. An ihnen ist nicht nur die Entstehung des Bildbandes nachzuweisen, sondern auch die Geschichte des Bildbandes hat sich an deren Anfängen und den von ihnen ausgegangenen Einflüssen zu orientieren. So waren die Blauen Bücher Vorbild für die frühen und erfolgreichen Reihen "Orbis terrarum" (Atlantis, Berlin), "Das Gesicht der Städte" (Albertus, Berlin), die "Schaubücher" (Orell-Füssli, Zürich) u.a. Doch die Blauen Bücher haben ihre berühmten Nachfahren wie ihre dilettantischen Nachahmer überlebt. Nicht die Kontinuität in der Gestaltung waren dafür maßgebend – diesem Prinzip huldigt schließlich jede Bildbandreihe – sondern ihre alleinige Ausrichtung auf inhaltliche Aspekte im Rahmen einer langfristigen Konzeption und deren immer wieder unternommene Aktualisierung in neuen Auflagen. Der dokumentarische Charakter jeden Buches und der Reihe insgesamt – durch Hintanstellung moderner Strömungen und dem Anspruch einer Zusammenfassung von kunst- und kulturgeschichtlichen Perioden – bleibt auch heute noch wesentliches Motiv für die Beschäftigung mit den Blauen Büchern.

Anmerkungen

1 Unter Bildband versteht man eine Sammlung von fotografischen Reproduktionen, die in gebundener Form zusammengefaßt werden und den Großteil eines Buches ausmachen. Wiedergaben von zweidimensionalen Gegenständen (Gemälde, Zeichnungen etc.) werden hier – und üblicherweise im Zusammenhang mit fotografischen Themen meist – ausgeschlossen.
Die beiden Blauen Bücher "Der Deutsche Ritterorden und seine Burgen" von August Winnig (1939) und "Siebenbürgen und seine Wehrbauten" von Heinrich Zillich (1941) wurden hier mitberücksichtigt, obwohl es sich um keine eigentlichen Bildbände, sondern um reich illustrierte, Bildband-ähnliche Textbände handelt.

2 1867 durch den Münchener Fotografen und Verleger Joseph Albert (1925–1886), der ein industriell anwendbares Verfahren entwickelte; vgl. Winfried Ranke, Joseph Albert – Hofphotograph der Bayerischen Könige, München 1977, S. 29 ff

3 Hier kann nur punktuell auf einige wesentliche Abschnitte eingegangen werden. So müßte eine Geschichte des Bildbandes neben der Entwicklung des illustrierten Buches u.a. die Bedeutung der Sammelalben, insbesondere der Fotos mit Kunstreproduktionen aufzeigen.

4 Hochland, 27. Jahrgang, Heft 3, München 1929.

5 J.A. Schmoll gen. Eisenwerth, Vom Sinn der Photographie, Texte aus den Jahren 1952–1980, München 1980, S. 17

6 Karl Robert Langewiesche, Aus Fünfundzwanzig Jahren, Buchhändlerische Erinnerungen 1891/1916, 5. und 6. Tausend, Königstein im Taunus und Leipzig 1919, S. 84

7 op. cit. S. 93
Nachstehende Anmerkungen sind mit "25 Jahre" bezeichnet.

8 Karl Robert Langewiesche, Fünfzig Jahre Verlagsarbeit, Königstein im Taunus 1952, vgl. Arbeitsbericht, S. 34 f
Nachstehende Anmerkungen sind mit "50 Jahre" bezeichnet.

9 25 Jahre, op. cit. S. 108

10 Typisch dafür das im Globus-Verlag in Berlin erschienene Buch "Album von Berlin, Charlottenburg und Potsdam".

11 Den Hinweis gab Hans Köster in einem Gespräch am 16.1. 1981. Vgl. auch 25 Jahre, op. cit. S. 86: "Die dritte Stufe umfaßte die Zeit von Herbst 1907 bis Ende 1911 ... Auch fällt in den Anfang dieses Abschnittes die erste bewußte Betonung der Wortprägung 'Die Blauen Bücher'."
Beide Belege befinden sich im Archiv des Verlages. Die Schreibweise unterschied sich allerdings von der ab 1908 verwendeten und lautete: "Die blauen Bücher".

12 Verlagsprospekt zu "Bilder aus Italien", Faltblatt, Düsseldorf 1909, unpag., Rückseite; Hervorhebungen im Original.

13 25 Jahre, op. cit. S. 117

14 25 Jahre, op. cit. S. 118

15 Diese "Flucht" ist auch in den fotografischen Themen der Amateure dieser Jahre nachvollziehbar. So waren das eigene Heim und der kleine Garten hinter dem Haus bevorzugte Handlungsräume, neben den auf Ausflügen in der "Stille der Natur" gemachten Aufnahmen.

16 Das Meer – das Meer ––, Stimmungsbilder aus der Natur, Goslar 1914, unpag., Werbeanhang

17 Titel eines Buches von Paul Rohrbach, das 1912 bei Langewiesche veröffentlicht wurde.

18 50 Jahre, op. cit. S. 8; über die Einstellung Langewiesches zu "nationalen Fragen" vgl. auch 25 Jahre, op. cit. S. 113 f

19 Literarische Neuigkeiten, Nr. 1, Leipzig 1916

20 Bücherei und Bildungspflege, Heft 4, Stettin 1928, S. 242

21 Postkarte, Pfarrer A.V., datiert 17.3.1930, Archiv des Verlages in Königstein

22 "Kleine Büchereien", in: Das Werk, Düsseldorf, Juli 1933

23 25 Jahre, op. cit. S. 124

24 so Hans Köster in einem Gespräch am 16.1.1981.

25 Mehrere Beispiele in 25 Jahre, op. cit. S. 20 ff

26 Bücherei und Bildungspflege, op. cit. S. 243

27 "Schaubücher" ist der Titel einer Bildbandreihe, die ab 1929 bei Orell-Füssli in Zürich (und Leipzig) erschien.

28 Eiserne Blätter, 17.5.1936, München 1936

29 Die heute immer mehr zunehmende Unsitte, Bilder und Bildsammlungen in Büchern und Ausstellungen textlos zu präsentieren, verrät bloß die Unfähigkeit der Herausgeber und Veranstalter, sich mit den Bildinhalten auseinanderzusetzen.

30 Die konkurrierenden Verlage orientierten sich an der Preisgestaltung von Langewiesche. So kosteten die entsprechenden Pendants der Bildbandreihe "Leuchtende Stunden" jeweils 1,75 Mark (kartoniert) und 2,80 Mark (Leinen); vgl. Walter Bloem, An heimischen Ufern, Berlin 1912, Verlagsanzeige, unpag., nach S. 112

31 25 Jahre, op. cit. S. 108

32 Germania, 15.10.1931, Berlin 1931, sowie Süddeutsche Zeitung, 11.7.1952, München 1952

33 Vossische Zeitung, Nr. 412, 13.8.1916, Berlin 1916

34 "Aus zoologischen Gärten" (1929) und "Formen des Lebens" (1931) von Paul Wolff, "Deutsche Trachten" (1936) von Erich Retzlaff und Wilhelm Pinder "Deutsche Wasserburgen" (1940) mit Aufnahmen von Albert Renger-Patzsch.

Ein Teil der Belege war nicht in der kompletten Fassung zugänglich; insbesondere lagen die Zeitschriften meist nur in Ausschnitten vor, so daß eine Seitenangabe unmöglich war.

Bibliographie 1907 – 1944

Die nachstehende Bibliographie umfaßt die zwischen 1907 und 1944 erstmals erschienenen Bildbände, sowie deren sämtliche weiteren Auflagen und Sammelbände. Die letzteren sind auch dann aufgeführt, wenn sie nicht unter dem Reihentitel "Die Blauen Bücher" erschienen. Die Titel sind nach dem Erscheinungsjahr der Erstausgabe geordnet.

Die bibliographische Aufnahme erfolgte nach den Archivexemplaren des Verlages Karl Robert Langewiesche Nachfolger Hans Köster in Königstein im Taunus. Es konnte daher eine genaue Titelbeschreibung erfolgen, die jeweils den gesamten Titeltext in der originalen Reihenfolge wiedergibt. Dieser wird bei der ersten Ausgabe komplett aufgezeichnet, bei den folgenden Auflagen werden nur die Änderungen gegenüber den davorstehenden Fassungen notiert. Die Schreibweise wurde jeweils übernommen, sofern die Angaben von der Titelseite stammen. Stammt die Auflagenhöhe nicht von dort, so wurde die Schreibweise vereinheitlicht. Auf den Hinweis auf Titelabbildungen wurde verzichtet. Reihentitel sind nur notiert, wenn sie auf der Titelseite erscheinen.

Die Auflagen wurden fortlaufend gezählt (z.B.: (3) = 3. Auflage), obwohl diese Angabe in den Büchern in keinem Fall vermerkt ist. Sind Auflagenhöhe und Erscheinungsjahr zwischen einfache Klammern gesetzt, so sind diese Daten nicht auf der Titelseite enthalten, sondern wurden aus anderen Stellen des Buches übernommen. Bei Vermerk innerhalb von doppelten Klammern erscheinen die Angaben in dem betreffenden Band überhaupt nicht, sondern wurden anhand der Verlagsaufzeichnungen eruiert.

Seiten- und Blattzahl sind nur angegeben, wenn sie sich von der davorstehenden Auflage unterscheiden. Die bei der Seitenzahl in Klammern notierte Zusatzangabe bezeichnet die Anzahl der ungezählten Text- oder Bildseiten (jedoch nicht solche mit Werbeinhalt); z.B. 80 (+1) S. heißt: 80 gezählte und 1 ungezählte Seite. Wenn nicht anders vermerkt, sind die Werbeseiten nur dann berücksichtigt, wenn sie im Buch numeriert wurden.

Gemeinsame bibliographische Angaben:
Verlagsort: Düsseldorf und Leipzig (1904–1912)
Königstein im Taunus & Leipzig (1913–1944)
Königstein im Taunus (ab 1949)
Verlag: Karl Robert Langewiesche (1904–1956)
Karl Robert Langewiesche Nachfolger Hans Köster (ab 1957)

1907

Max Sauerlandt. Griechische Bildwerke. "Wir tragen die Trümmer ins Nichts hinüber – und klagen über die verlorene Schöne". Die Welt des Schönen. Mit 140, darunter circa 50 ganzseitigen Abbildungen. Erstes bis zwanzigstes Tausend. 1907. XV (+1) S., 56 Bl., X S.
– (2) (ohne Vers). Mit 140, darunter etwa 50 ganzseitigen, Abbildungen. Einundzwanzigstes bis vierzigstes Tausend. 1907.
– (3) Einundvierzigstes bis sechzigstes Tausend. 1908.
– (4) Einundsechzigstes bis achtzigstes Tausend. (1909). XVI S., 56 Bl., X S.
– (5) Einundachtzigstes bis hundertzehntes Tausend. (1911). XVI S., 56 Bl., XI S.
– (6) (ohne: Die Welt des Schönen). 111. bis 115. Tausend. ((1915)). XVI, 112, X S.
– (7) 116. bis 124. Tausend. ((1916)).
– (8) 125. bis 140. Tausend. ((1917)).
– (9) Griechische Bildwerke. (ohne Autor und weitere Angaben). (141.–151. Tausend). ((1923), Druck 1922). 64 S.
– (10) 152. bis 176. Tausend. 1924.
– (11) Max Sauerlandt. Griechische Bildwerke. 177. bis 186. Tausend. 1933. VIII, 80 S.
– (12) (187.–196. Tausend). (1942). 112 S.
– (13) Vagn Poulsen. Griechische Bildwerke. (197.–216. Tausend). (1962). 111 (+1) S.

1909

Bilder aus Italien. Landschaft/Baukunst, Leben. Die Welt des Schönen. Einhundertvierundsiebzig Aufnahmen deutscher Amateure. Erstes bis dreissigstes Tausend. (1909). 4 Bl., 96 S., 2 Bl.
– (2) Einunddreissigstes bis fünfundfünfzigstes Tausend. (1909)
– (3) 135 Aufnahmen deutscher Amateure. Sechsundfünfzigstes bis fünfundsiebzigstes Tausend. (1912). XV, 96 S., 1 Bl.

Max Sauerlandt. Deutsche Plastik des Mittelalters. Die Welt des Schönen. Erstes bis zwanzigstes Tausend. (1909). XXXII, 96, XIV S.
– (2) Einundzwanzigstes bis dreissigstes Tausend. (1909).
– (3) Mit über hundert, meist ganzseitigen, Abbildungen. Einunddreissigstes – siebenundvierzigstes Tausend. (1911). XVI, 96, XI S.
– (4) (ohne: Die Welt des Schönen). 48. bis 62. Tausend. Mit 104 Bildseiten. ((1917)).
– (5) 63. bis 77. Tausend. 1924. Mit 109 Bildseiten. 126 S., 1 Bl.
– (6) 78. bis 92. Tausend. 1925. Mit 109 Bildseiten.
– (7) 93. bis 100. Tausend. 1935. Mit 110 Bildseiten.
– (8) 101. bis 110. Tausend. 1941. Mit 110 Bildseiten.
– (9) (111.–120. Tausend). (1953). 111 (+1) S.
– (10) (121.–131. Tausend). (1953).

1910

Wilhelm Pinder. Deutsche Dome des Mittelalters. Die Welt des Schönen. Mit 96 ganzseitigen Abbildungen. Erstes bis dreissigstes Tausend. (1910). XVI, 96, 10 S.
– (2) Einunddreissigstes bis fünfundfünfzigstes Tausend. (1910)
– (3) Sechsundfünfzigstes bis zweiundachtzigstes Tausend. (1912).
– (4) (ohne: Die Welt des Schönen). 83.–87. Tausend. ((1915)). XVI, 96, VI S.
– (5) 88.–95. Tausend. ((1916)).
– (6) 96.–115. Tausend. ((1916)). XVI, 96, X S.
– (7) 116.–135. Tausend. Mit 90 ganzseitigen Abbildungen. ((1918)). XII, 90, VIII S.
– (8) 1921. 136. bis 173. Tausend. Mit 88, meist ganzseitigen Abbildungen. 96 S.
– (9) Deutsche Dome des Mittelalters. 1923. 174. bis 178. Tausend. Mit 59 ganzseitigen Abbildungen. 64 S.
– (10) 1924. 179. bis 193. Tausend. Mit 59 ganzseitigen Abbildungen.
– (11) 1925. 194. bis 213. Tausend. Mit 75, meist ganzseitigen Abbildungen. 80 S.
– (12) Wilhelm Pinder. Deutsche Dome des Mittelalters. 1927. 214.–228. Tausend. Mit 109, meist ganzseitigen Abbildungen und 13 Grundrissen. 125 S.
– (13) 1929. 229.–243. Tausend. Mit 111 meist ganzseitigen Abbildungen und 13 Grundrissen. 127 S.
– (14) 1933. 244.–253. Tausend. Mit 111 meist ganzseitigen Abbildungen und 12 Grundrissen.
– (15) 1936. 254.–265. Tausend.
– (16) 1939. 266.–277. Tausend.
– (17) 1941. 278.–289. Tausend.
– (18) 1941. 290.–300. Tausend.
– (19) (ohne alles). (301.–310. Tausend). (1950). 111 (+1) S.
– (20) (311.–322. Tausend). (1952).
– (21) (323.–333. Tausend). (1952).
– (22) (334.–353. Tausend). (1953).
– (23) (354.–374. Tausend). (1955).
– (24) (375.–404. Tausend). (1955).
– (25) (405.–425. Tausend). (1960). 112 S.
– (26) (426.–445. Tausend). (1963). 111 (+1) S.
– (27) (446.–455. Tausend). (1969). 112 S.

1912

Wilhelm Radenberg. Moderne Plastik. Einige deutsche und ausländische Bildhauer und Medailleure unserer Zeit. Die Welt des Schönen. Mit rund 150 Abbildungen. Erstes bis fünfzigstes Tausend. (1912). VIII, 96, XII S.
(Umgestaltete Neuausgabe siehe 1925: Max Sauerlandt. Deutsche Bildhauer um 1900.)

Wilhelm Pinder. Deutscher Barock. Die grossen Baumeister des 18. Jahrhunderts. Die Welt des Schönen. Mit rund 100 Abbildungen. Erstes bis dreissigstes Tausend. (1912). XXIV, 96, XII S., 2 Bl.
– (2)   (ohne: Die Welt des Schönen). Einunddreissigstes bis zweiundsechzigstes Tausend. (1913).
– (3)   (ohne: Mit rund 100 Abbildungen). (63.–77. Tausend). 1924. 126 S.
– (4)   1925. 78. bis 97. Tausend. Mit 100 Abbildungen und 14 Grundrissen.
– (5)   1929. 98. bis 112. Tausend. Mit über 100, meist ganzseitigen Abbildungen und 14 Grundrissen.
– (6)   1938. 113. bis 120. Tausend. Mit 88 meist ganzseitigen Abbildungen und 14 Grundrissen. 112 S.
– (7)   1940. 121. bis 130. Tausend.
– (8)   1943. 131. bis 142. Tausend.
– (9)   (ohne Abbildungszahl). (143.–155. Tausend). ((1952)).
– (10) (156.–171. Tausend). (1953).
– (11) (172.–186. Tausend). (1955).
– (12) (187.–205. Tausend). (1957).
– (13) (204.–218. Tausend). (1961).
(Auflagenvermerk 12. und 13. Auflage so korrekt).
– (14) (219.–228. Tausend). (1965).

1913

Deutsche Burgen und feste Schlösser aus allen Ländern deutscher Zunge. Mit 130 Abbildungen. 1. bis 60. Tausend. (1913). VIII, 112 S.
– (2)   61. bis 100. Tausend. ((1915)). VIII, 112 S., S. IX–XIV.
– (3)   Deutsche Burgen und feste Schlösser. 101. bis 120. Tausend. Mit über 100 Abbildungen. ((1918)). 108 S.
– (4)   1921. 121. bis 162. Tausend. 92 Bildseiten und Text. 96 S.
– (5)   1923. 163. bis 167. Tausend. Mit 60 grossen Bildseiten. 64 S.
– (6)   1924. 168. bis 182. Tausend.
– (7)   1925. 183. bis 202. Tausend. Mit 76 grossen Bildseiten und einleitendem Text. 80 S.
– (8)   1927. 203. bis 218. Tausend. Mit 76 großen Bildseiten. Einleitender Text von Wilhelm Pinder.
– (9)   1929. 219. bis 233. Taus. Mit 120 großen Bildseiten und einleitendem Text von Wilhelm Pinder. 126 S.
– (10) 1934. 234.–243. Taus. Mit 125 großen Bildseiten und einleitendem Text von Wilhelm Pinder. 128 S.
– (11) 1938. 244.–253. Tausend.
– (12) 1940. 254.–268. Tausend.
– (13) 1942. 269.–278. Tausend.
– (14) Text von Wilhelm Pinder. (279.–303. Tausend). (1957). 111 (+1) S. (S. 8–111 als Abb.-Nr.).
– (15) (304.–318. Tausend). (1962). 111 (+1) S.
– (16) (319.–328. Tausend). (1968).

1915

Grosse Bürgerbauten aus vier Jahrhundert deutscher Vergangenheit. Mit 130 Abbildungen. 1. bis 60. Tausend. (1915). XVI, 112, XIV S.
– (2)   Bürgerbauten aus vier Jahrhundert deutscher Vergangenheit. 1921. 61. bis 82. Tausend. Mit 68 großen Bildseiten. 72 S.
– (3)   1923. 83. bis 86. Tausend. Mit 62 großen Bildseiten. 64 S.
– (4)   1924. 87. bis 101. Tausend.
– (5)   1925. 102. bis 121. Tausend. Mit 76 grossen Bildseiten. 80 S.
– (6)   Bürgerbauten aus vier Jahrhunderten deutscher Vergangenheit. Mit 122 grossen Bildseiten. 122. bis 136. Tausend. 1929. 126 S.
– (7)   Mit 110 Bildseiten. 137. bis 146. Tausend. 1940. 112 S.

– (8)   147. bis 157. Tausend. 1943.
– (9)   Bürgerbauten deutscher Vergangenheit. Text von Wilhelm Pinder. (158.–177. Tausend). (1957).

Die Schöne Heimat. Bilder aus Deutschland. (1.–58. Tausend). (1915). 4 Bl., 144 S., 2 Bl.
– (2)   (59.–100. Tausend). (1916).
– (3)   (101.–125. Tausend). (1917).
– (4)   (126.–157. Tausend). (1917). 4 Bl., 128 S., 2 Bl.
– (5)   Mit 107 Bildseiten. 158. bis 187. Tausend. 1922. 112 S.
– (6)   Mit 122 Bildseiten. 188. bis 215. Tausend. 1924. 128 S.
– (7)   216. bis 240. Tausend. 1925.
– (8)   241. bis 265. Tausend. 1928.
– (9)   266. bis 275. Tausend. 1933.
– (10) 276. bis 290. Tausend. 1935.
– (11) (ohne: Mit 122 Bildseiten). (291.–300. Tausend). (1938).
– (12) (301.–315. Tausend). (1940).
– (13) (316.–345. Tausend). (1941).
– (14) (346.–365. Tausend). (1952). 112 S. (S. 3–112 als Abb.-Nr.).
– (15) (366.–385. Tausend). (1952). 208 S. (S. 3–208 als Abb.-Nr.).
– (16) (386.–405. Tausend). (1953). 112 S. (S. 3–112 als Abb.-Nr.).
– (17) (406.–420. Tausend). (1953).
– (18) (421.–432. Tausend). (1953).
– (19) (433.–447. Tausend). (1954). 208. S. (S. 3–208 als Abb.-Nr.).
– (20) (446.–475. Tausend). (1955). 112 S. (S. 3–112 als Abb.-Nr.).
(Auflagenvermerk 19. und 20. Auflage so korrekt).
– (21) (476.–480. Tausend). (1957). 210 S. (S. 5–210 als Abb.-Nr.), 1 Bl.
– (22) (481.–490. Tausend). (1957). 112 S. (S. 3–112 als Abb.-Nr.).
– (23) (491.–500. Tausend). (1957). 210 S. (S. 5–210 als Abb.-Nr.), 1 Bl.
– (24) (501.–521. Tausend). (1958). 112 S. (S. 3–112 als Abb.-Nr.).
– (25) (522.–542. Tausend). (1959).
– (26) ((543.–)545. Tausend). (1961). 210 S. (S. 5–210 als Abb.-Nr.), 1 Bl.
– (27) ((546.–)557. Tausend). (1961).
– (28) (558.–577. Tausend). (1962). 115 (+1) S. (S. 3–115 als Abb.-Nr.).
– (29) (578.–600. Tausend). (1964).
– (30) ((601.–)612. Tausend). (1965). 207 (+1) S. (S. 5–207 als Abb.-Nr.).
– (31) Die Schöne Heimat der Deutschen. Beautiful Germany. Le beau pays des Allemands. ((613.–)619. Tausend). (1971). 132 S.

1921

Tore, Türme und Brunnen aus vier Jahrhunderten deutscher Vergangenheit. 1921. Mit sechzig Bildseiten. Erstes bis fünfzigstes Tausend. 64 S.
– (2)   (51.–75. Tausend). 1921.
– (3)   Tore/Türme und Brunnen aus vier Jahrhunderten deutscher Vergangenheit. 1922. 76. bis 100. Tausend.
– (4)   1924. 101. bis 122. Tausend.
– (5)   1927. 123. bis 132. Tausend. Mit 75 Bildseiten. 79 (+1) S.
– (6)   133. bis 145. Tausend. Mit fast 80 Bildseiten. 1929.
– (7)   146. bis 155. Tausend. 1936. 80 S.
– (8)   (ohne: Mit fast 80 Bildseiten). (156.–165. Tausend). (1941).
– (9)   (166.–175. Tausend). (1950).   112 S.
– (10) (176.–189. Tausend). (1952).
– (11) (190.–200. Tausend). (1954).
– (12) Tore, Türme und Brunnen aus vier Jahrhunderten Deutscher Vergangenheit. (201.–215. Tausend). (1956).
– (13) Tore Türme und Brunnen aus vier Jahrhunderten deutscher Vergangenheit. (216.–229. Tausend). (1960).
– (14) Tore, Türme und Brunnen aus vier Jahrhunderten deutscher Vergangenheit. ((230.–)234. Tausend). (1969).

1922

Tiere in schönen Bildern. (1.–35. Tausend). (1922). 64. S.
- (2) (36.–47. Tausend). 1926. 78 S.
- (3) Mit 100 Bildseiten. 48.–60. Tausend. 1929. 108 S.
- (4) 61.–66. Tausend. 1930.
- (5) Mit 116 Bildseiten. 67.–80. Tausend. 1931. 124 S.
- (6) 81.–90. Tausend. 1937.
- (7) Mit 107 Bildseiten. 91.–100. Tausend. 1941. 112 S.
- (8) (ohne: Mit 107 Bildseiten). (101.–112. Tausend). ((1951)). 96. S.
- (9) (113.–124. Tausend). ((1953)).
- (10) (125.–141. Tausend). (1955).
- (11) (142.–162. Tausend). ((1957)).

1924

Innenräume deutscher Vergangenheit aus Schlössern und Burgen, Klöstern/Bürgerbauten und Bauernhäusern. 1924. Mit 76 Bildseiten. Erstes bis Sechzehntes Tausend. 80 S.
- (2) 1925. 17. bis 36. Tausend.
- (3) 1930. 37. bis 45. Tausend.
- (4) (ohne: Mit 76 Bildseiten). (46.–55. Tausend). ((1942)). 104 S.
- (5) Leonie von Wilckens. Alte deutsche Innenräume vom Mittelalter bis zum 17. Jahrhundert. (56.–71. Tausend). (1959). 111 (+1) S. (S. 11–111 als Abb.-Nr.).

1925

Max Sauerlandt. Deutsche Bildhauer um 1900. Von Hildebrand bis Lehmbruck. Umgestaltete Neuausgabe des früheren Bandes: "Moderne Plastik". 1.–20. Tausend. 1925. Mit 50 ganzseitigen Abbildungen, zum Teil auf Tafeln. 48 S., VIII gez. Bl. (zwischengefügte Tafeln).
- (2) 21.–30. Tausend. 1927. Mit 55 grossen Bildseiten und einleitendem Text. 61 S.

Walter Mueller-Wulckow. Bauten der Arbeit und des Verkehrs aus deutscher Gegenwart. 1. bis 20. Tausend. 1925. Mit 78 meist ganzseitigen Abbildungen. 80 S.
- (2) 21. bis 36. Tausend. 1926. Mit 78, meist ganzseitigen Abbildungen.
- (3) Walter Müller-Wulckow. Deutsche Baukunst der Gegenwart. Bauten der Arbeit und des Verkehrs. Neue, erweiterte Ausgabe 1929. 37.–50. Tausend. Über 100 grosse Bildseiten, ferner Bilder im Text, Grundrisse, Schnitte. 119 S.
(siehe auch die Sammelbände 1929: "Deutsche Baukunst der Gegenwart", und 1975: "Architektur der Zwanziger Jahre in Deutschland").

1926

Der Deutsche Park, vornehmlich des 18. Jahrhunderts. 1926. 1. bis 24. Tausend. Mit 125, zumeist ganzseitigen Abbildungen. 127 S.
- (2) 1927. 25. bis 36. Tausend. Mit 125 zumeist ganzseitigen Abbildungen.
- (3) 1938. 37. bis 44. Tausend. Mit 108 zumeist ganzseitigen Abbildungen. 112 S.

Deutsch-Südost in auserlesenen Bildern. Die Österreichischen Länder. Die Deutschen Gebiete Böhmens. Dazu Siebenbürgen und einige Sprachinseln. Die Schöne Heimat, Ergänzungsband. 122, meist ganzseitige Bilder mit einführendem Text. 1.–24. Tausend. 1926. 126 S.
- (2) 25.–36. Tausend. 1928.
- (3) Die österreichischen Länder. Die Sudetendeutschen Gebiete. Dazu Siebenbürgen und einige Sprachinseln. (ohne: 122, meist ... Text). (37.–50. Tausend). (1937). 112 S.
- (4) (51.–55. Tausend). (1938).
- (5) (56.–60. Tausend). (1940).

1927

Max Sauerlandt. Kleinplastik der Deutschen Renaissance. 1. bis 12. Tausend. 1927. Mit 102, meist ganzseitigen Abbildungen. 110 S.

1928

Walter Müller-Wulckow. Deutsche Baukunst der Gegenwart. Wohnbauten und Siedlungen. Mit 110 grossen Bildseiten und 35 Grundrissen. 1.–12. Tausend. 1928. 122 S.
- (2) 13.–20. Tausend. 1929.
- (3) Mit 112 grossen Bildseiten und 40 Grundrissen. 21.–28. Tausend. 1929. 126 S.
(siehe auch die Sammelbände 1929: "Deutsche Baukunst der Gegenwart", und 1975: "Architektur der Zwanziger Jahre in Deutschland").

Walter Müller-Wulckow. Deutsche Baukunst der Gegenwart. Bauten der Gemeinschaft. Mit einhundert grossen Bildseiten und 13 Grundrissen. 1.–12. Tausend. 1928. 110 S.
- (2) 13.–20. Tausend. 1929.
- (3) Mit einhundert grossen Bildseiten und 15 Grundrissen. 21.–26. Tausend. 1929. 111 S.
(siehe auch die Sammelbände 1929: "Deutsche Baukunst der Gegenwart", und 1975: "Architektur der Zwanziger Jahre in Deutschland").

Hermann und Marianne Aubel. Der künstlerische Tanz unserer Zeit. Mit 110 grossen Bildseiten. 1. bis 14. Tausend. 1928. VIII, 110 S.
- (2) 15. bis 20. Tausend. 1928.
- (3) Mit 111 grossen Bildseiten. 21. bis 28. Tausend. 1930.
- (4) Mit 105 grossen Bildseiten. 29. bis 36. Tausend. 1935. 112 S.

1929

Paul Dobe. Wilde Blumen der deutschen Flora. Hundert Naturaufnahmen. Mit Vorbemerkung. 1.–15. Tausend. 1929. 110 S.
- (2) 16.–20. Tausend. 1929.
- (3) 21.–32. Tausend. 1930. 108 S.
- (4) 33.–42. Tausend. 1931.
- (5) Hundertdrei Naturaufnahmen. Mit Vorbemerkung. 43.–52. Tausend. 1935. 112 S.
- (6) 53.–62. Tausend. 1941.

Paul Wolff. Aus zoologischen Gärten. Lichtbildstudien. Mit 120 Bildseiten. 1.–25. Tausend. 1929. 126 S.
- (2) 26.–33. Tausend. 1931.
- (3) 34.–41. Tausend. 1937.
- (4) 42.–54. Tausend. 1942.
- (5) (ohne: Mit 120 Bildseiten). (55.–65. Tausend). (1952). 96 S.
- (6) (66.–75. Tausend). (1954).
- (7) (76.–85. Tausend). (1957).
- (8) (86.–90. Tausend). (1965). 95 (+1) S.

Walter Müller-Wulckow. Deutsche Baukunst der Gegenwart. Gesamtausgabe der Bände: Bauten der Arbeit u.d. Verkehrs – Wohnbauten u. Siedlungen – Bauten der Gemeinschaft, nebst 2 Generalregistern. Drei Teile in einem Bande. Mit über 300 Bildseiten u. vielen Grundrissen. ((1. Tausend)). ((1929)). XXXII, 119, 126, 111 S.

1930

Menschen der Zeit. Hundert und ein Lichtbildnis wesentlicher Männer und Frauen aus deutscher Gegenwart und jüngster Vergangenheit. (1.–8. Tausend). ((1930)). 112 S.
- (2) (9.–15. Tausend). ((1930)).
- (3) 1930. (16.–32. Tausend).
- (4) 33. bis 42. Tausend. 1931.

Walter Müller-Wulckow. Die Deutsche Wohnung der Gegenwart. 1930. Hundertfünfzehn grosse Bildseiten. 1. bis 12. Tausend. 126 S.
- (2)   1930. 13. bis 20. Tausend.
- (3)   1931. 21. bis 26. Tausend.
- (4)   1932. 27. bis 32. Tausend.

(siehe auch Sammelband 1975: ”Architektur der Zwanziger Jahre in Deutschland”).

Karl Otto Bartels. Blüte und Frucht im Leben der Bäume. Hundert Aufnahmen. Mit einführendem Text und mit Erläuterungen. 1.–12. Tausend. 1930. 118 S.
- (2)   13.–20. Tausend. 1931.
- (3)   21.–28. Tausend. 1938. Fünfundneunzig Aufnahmen. Mit einführendem Text und Erläuterungen. 112 S.
- (4)   29.–38. Tausend. (1942).

1931

Paul Wolff. Formen des Lebens. Botanische Lichtbildstudien. 120 Naturaufnahmen. Mit Vorbemerkung und Hinweisen von Martin Möbius, ord. Professor der Botanik an der Universität Frankfurt a.M. 1. bis 15. Tausend. 1931. 127 S.
- (2)   16. bis 25. Tausend. 1933.
- (3)   106 Naturaufnahmen. (26.–35. Tausend). (1940). 112 S.
- (4)   (36.–45. Tausend). (1943).
- (5)   Botanische Lichtbildstudien mit Vorbemerkung und Hinweisen von Prof. Dr. Martin Möbius (+), Frankfurt a.M., überarbeitet von Prof. Dr. Friedrich Markgraf, München. (46.–65. Tausend). (1957). 96 S.

Das Werk. Technische Lichtbildstudien. Mit Vorbemerkung von Eugen Diesel. Über 70 große Bildseiten. 1. bis 15. Tausend. 1931. 78. S.

1933

Deutsches Land in 111 Flugaufnahmen. 1. bis 12. Tausend. 1933. 112 S.
- (2)   13. bis 20. Tausend. 1933.
- (3)   21. bis 30. Tausend. 1933.
- (4)   31. bis 40. Tausend. 1934.
- (5)   41. bis 50. Tausend. 1936.
- (6)   51. bis 60. Tausend. 1938.
- (7)   61. bis 70. Tausend. 1940.
- (8)   71. bis 80. Tausend. 1941.
- (9)   81.–100. Tausend. 1942.
- (10)   (101.–115. Tausend). (1952).
- (11)   (116.–136. Tausend). (1953).
- (12)   (137.–153. Tausend). (1955).
- (13)   (154.–164. Tausend). (1959).
- (14)   (165.–179. Tausend). (1961).
- (15)   (180.–189. Tausend). (1966). 111 (+1) S.

Wilhelm Pinder. Deutsche Barockplastik. 1.–12. Tausend. 1933. 112 S.
- (2)   13.–20. Tausend. 1940.

1934

Klaus Thiede. Deutsche Bauernhäuser. 1.–12. Tausend. 1934. VIII, 96 S.
- (2)   13.–20. Tausend. 1934.
- (3)   21.–30. Tausend. 1935. 112 S.
- (4)   31.–50. Tausend. 1937.
- (5)   (51.–60. Tausend). (1941).
- (6)   (61.–80. Tausend). (1955).
- (7)   Alte deutsche Bauernhäuser. (81.–100. Tausend). (1963). 111 (+1) S.

1976 wurde ein Reststock der 7. Auflage mit einem neuen Einband (Farbfoto) versehen und so vertrieben.
- (8)   ((101.–108. Tausend)). ((1979)).

Diese Auflage wurde mit dem Impressum der 7. Auflage vertrieben.

Sie ist an dem Einband (wie Auslieferung von 1976) erkennbar, unterscheidet sich aber am vorderen Innendeckel: bei der Zitierung der ”Bauwelt” (6. Absatz) wurde das Erscheinungsjahr (”1962”) weggelassen.

Siegfried Scharfe. Deutsche Dorfkirchen. (1.–12. Tausend).(1934). 112 S.
- (2)   (13.–20. Tausend). (1935).
- (3)   (21.–30. Tausend). (1935).
- (4)   (31.–40. Tausend). (1938).
- (5)   (41.–50. Tausend). (1941).
- (6)   (51.–70. Tausend). (1942).

1936

Erich Retzlaff. Deutsche Trachten. (1.–12. Tausend). (1936). 112 S.
- (2)   Erich Retzlaff – Düsseldorf. (13.–20. Tausend). (1937).
- (3)   (21.–30. Tausend). (1940).
- (4)   Deutsche Trachten. Aufnahmen von Erich Retzlaff. Text von Margarete Baur-Heinhold. (31.–65. Tausend). (1958). 80 S.

1937

Leo Bruhns. Hohenstaufenschlösser. (1.–10. Tausend). (1937). 112 S.
- (2)   (11.–20. Tausend). (1938).
- (3)   (21.–30. Tausend). (1941).
- (4)   (31.–50. Tausend). (1942).
- (5)   Hohenstaufenschlösser in Deutschland und Italien. (51.–65. Tausend). (1959). 111 (+1) S.
- (6)   (66.–72. Tausend). (1964).

1938

Deutschland über Alles. Ehrenmale des Weltkrieges. Herausgegeben von Siegfried Scharfe. (1.–10. Tausend). (1938). 112 S.
- (2)   (11.–20. Tausend). (1940).

1939

Annemarie Fossel und Karl Otto Bartels. Es blüht in Deutschen Landen. (1.–10. Tausend). (1939). 112 S.
- (2)   (11.–20. Tausend). (1940).
- (3)   (21.–30. Tausend). (1942).
- (4)   (31.–40. Tausend). (1943).

(Ein Teil dieser Auflage wurde als ”Sonder-Ausgabe für die Wehrmacht” vertrieben).

Der runde Bogen. Auswahl/Anordnung und Text von Adolf Heckel. (1.–10. Tausend). (1939). 112 S.
- (2)   (11.–20. Tausend). (1940).
- (3)   (21.–30. Tausend). (1941).
- (4)   (31.–41. Tausend). (1943).
- (5)   (42.–54. Tausend). (1952). 96 S.
- (6)   (55.–64. Tausend). (1954).
- (7)   Auswahl, Anordnung und Text von Adolf Heckel. (65.–79. Tausend). (1957).
- (8)   (80.–84. Tausend). (1965). 95 (+1) S.

August Winnig. Der Deutsche Ritterorden und seine Burgen. (1.–10. Tausend). (1939). 110 S., 1 Bl.
- (2)   (11.–20. Tausend). (1940).
- (3)   (21.–30. Tausend). (1940).
- (4)   (31.–40. Tausend). (1940).
- (5)   (41.–50. Tausend). (1940).
- (6)   (51.–60. Tausend). (1941).
- (7)   (61.–72. Tausend). (1943).

(Ein Teil dieser Auflage wurde als ”Sonder-Ausgabe für die Wehrmacht” vertrieben).
- (8)   (73.–83. Tausend). (1943).
- (9)   (84.–98. Tausend). (1956).
- (10)   (99.–108. Tausend). (1961).

1940

Wilhelm Pinder. Deutsche Wasserburgen. Aufnahmen von Albert Renger-Patzsch. (1.–10. Tausend). (1940). 112 S.
- (2)   (11.–20. Tausend). (1940).
- (3)   (21.–30. Tausend). (1941).
- (4)   (31.–41. Tausend). (1952). 96 S.
- (5)   (42.–51. Tausend). (1954).
- (6)   Deutsche Wasserburgen. Text von Wilhelm Pinder. Aufnahmen von Albert Renger-Patzsch. (52.–65. Tausend). (1957).
- (7)   (66.–70. Tausend). (1963).
- (8)   (71.–75. Tausend). (1968).

1941

Heinrich Zillich. Siebenbürgen und seine Wehrbauten. Mit einer Darstellung der Baugeschichte von Hermann Phleps. (1.–20. Tausend). (1941). 111 S.
- (2)   ((21.–30. Tausend)). ((1942)).
- (3)   ((31.–50. Tausend)). ((1942)).
Die 2. und 3. Auflage weisen auf S. 2 dieselben Daten auf wie die erste Ausgabe, da der Titelbogen irrtümlich in einer Auflage von 50.000 Exemplaren gedruckt und in allen drei Auflagen unverändert verwendet wurde. Da auch der weitere Inhalt unverändert blieb, ist eine Unterscheidung der ersten drei Auflagen nicht möglich.
- (4)   Heinrich Zillich. Siebenbürgen. Ein abendländisches Schicksal. Mit einer geschichtlichen Darstellung der Siebenbürgischen Wehrbaukunst von Hermann Phleps. (51.–65. Tausend). (1957). 110 S., 1 Bl.
- (5)   (66.–69. Tausend). (1968). 111 (+1) S.
- (6)   ((70.–)72. Tausend). (1976).

1942

Hans Werner Hegemann. Deutsches Rokoko. Das Phänomen des Formenwandels vom Barock zum Rokoko in der deutschen Architektur. (1.–20. Tausend). (1942). 80 S.
- (2)   ((21.–40. Tausend)). ((1942)).
Irrtümlich wurde die Auflagenhöhe auf S. 4 der 2. Auflage nicht geändert. Da auch der übrige Inhalt unverändert blieb, sind die ersten beiden Auflagen nicht zu unterscheiden.
- (3)   Hans Werner Hegemann. Deutsches Rokoko. (41.–65. Tausend). (1956).
- (4)   (66.–105. Tausend). (1958).

1975

Der folgende Titel erschien nicht in der Reihe "Die Blauen Bücher" und wurde hier lediglich aufgenommen, weil er als Sammelband vier Titel der Blauen Bücher enthält.

Walter Müller-Wulckow. Architektur der Zwanziger Jahre in Deutschland. Neu-Ausgabe 1975 der vier Blauen Bücher: "Bauten der Arbeit und des Verkehrs", 3. und letzte Auflage 1929. "Wohnbauten und Siedlungen", 3. und letzte Auflage 1929. "Bauten der Gemeinschaft", 3. und letzte Auflage 1929. "Die deutsche Wohnung", 4. und letzte Auflage 1932. 451 Abbildungen nach Fotos, 69 Grundrisse und Schnitte, Vorwort von Reyner Banham (1975). Bio-Bibliographien und allgemeine Bibliographien von Stefan Muthesius (1975). Orts-Register. ((1.–2. Tausend)). (1975). IV, 119, 126, 111, 126 S., S. V–X.
- (2)   ((3.–4. Tausend)). ((1976)). IV, 119, 126, 111, 126 S., 1 Bl., S. VII–XII.
- (3)   ((5.–7. Tausend)). ((1979)).

Der zweite Teil der Bibliographie, 1949 – 1980, erscheint in Heft 2, zusammen mit einem Titel- und Namensregister, das den gesamten Zeitraum von 1907 bis 1980 umfaßt.

An der Verwirklichung des Beitrages und der Bibliographie waren die Herren Hans Köster und Hans Curd Köster maßgeblich beteiligt. Für ihre freundliche Unterstützung, die Bereitstellung der Unterlagen aus dem Verlagsarchiv und die klärenden Gespräche gilt ihnen mein Dank.

Die Autoren dieses Heftes

Ellen Maas   geb. 1931 in Hüls/Krefeld, Oberstudienrätin, Kostümhistorikerin in Frankfurt.

Klaus Maas   geb. 1934 in Hüls/Krefeld, Prof. Dr. rer. nat., Diplom-Chemiker in Heidelberg.

Helmut Richter   geb. 1944 in Neustadt/Aisch, Dr. phil., Leiter von Stadtarchiv und Stadtmuseum in Erlangen.

Gert Rosenberg   geb. 1937 in Wien, Mitarbeiter am Naturhistorischen Museum Wien, Experte für alte Fotografie an der Kunstabteilung des Dorotheums in Wien.

Viktoria Schmidt-Linsenhoff   geb. 1944 in Cottbus, Dr. phil., Kunsthistorikerin in Frankfurt.

Timm Starl   geb. 1939 in Wien, Antiquar in Frankfurt.

Eva Stille   geb. 1934 in Regensburg, Volkskundlerin in Frankfurt.

Geplante Beiträge für Heft 2

(erscheint im Herbst 1981)

Rückseitenaufdruck für das Atelier Friedrich Brandseph, Stuttgart. Lithographie, um 1868, Fotokarte, 10,4 : 6,3 cm (Visitformat).

Timm Starl
Die Rückseite

Manchmal fällt uns ein besonders originell gestalteter Rückseitenaufdruck auf dem Karton eines Visit- oder Cabinetfotos auf. Und bei der zeitlichen Einordnung von Fotografien aus diesen Jahren drehen wir die Karten oft um und entnehmen der Rückseite Anhaltspunkte für die Datierung, so z.B. die Teilnahme des Fotografen an Ausstellungen oder die Verleihung von Medaillen. Doch darüber hinaus gibt es weitere Möglichkeiten der Betrachtung und fotohistorischen Bearbeitung. War doch die "Rückseite" wichtiger Werbeträger für die Ateliers im 19. Jahrhundert. In den unterschiedlichen Formen der Selbstdarstellung ist auch die Einschätzung des Fotografenberufes durch ihre Vertreter abzulesen. Entlang zahlreicher Beispiele werden alle jene Aspekte beleuchtet, die uns heute noch wesentliche kultur- und fotogeschichtliche Informationen liefern können.

Walter Schobert
Standfoto und Starporträt

Die kleinere Schwester des Films nannte Lotte H. Eisner einmal die Fotografie – und für einen schmalen Ausschnitt der Fotogeschichte ist diese enge Verwandtschaft ganz offensichtlich: für das Standfoto. Seit seiner Erfindung hat sich der Film der Fotografie bedient, als Werbefotos, Pressefoto, Aushangfoto und Sammlerfoto. Jeder kennt sie, viele benutzen sie, manche sammeln sie. Und dennoch gibt es merkwürdige Lücken, stellt man präzisere Fragen nach all diesen Bildern: Wer hat sie gemacht, gibt es im Laufe der Filmgeschichte ästhetische Veränderungen, wann tauchen die ersten Starporträts neben den Standfotos auf, wann wurden Firmen wie "Photochemie" oder "Ross" gegründet, in welchem Verhältnis stehen Standfoto und Foto aus der Filmkopie, oder ein Studioporträt zu einem Standfoto? Einigen dieser Fragen wird der Beitrag nachgehen.

GRETA GARBO – Metro-*Goldwyn*-Mayer-Star

Greta Garbo (Metro-Goldwyn-Mayer).

Diesem Heft liegt eine Bestellkarte des Deutschen Filmmuseums Frankfurt bei.

Einladung zur Subskription

Ariel Cinematographica Register

Band 1: Aufnahmegeräte

Mit der Entstehung des Deutschen Filmmuseums Frankfurt am Main erscheint in der Schriftenreihe des Museums das erste, umfassende Nachschlagewerk zur Geschichte der Filmtechnik:
Das Ariel Cinematographica Register,
verfaßt von Pete Ariel und herausgegeben von Hilmar Hoffmann und Walter Schobert.
Geplant sind sieben Ringbuch-Bände, von denen jeder als Grundausstattung zirka 300 Seiten umfassen soll.
Auf diese Weise ist eine Erweiterung jederzeit möglich.
Die einzelnen Bände behandeln:

Band 1: Aufnahmegeräte
Band 2: Wiedergabegeräte
Band 3: Zubehör
Band 4: Vorgeschichte des Films
Band 5: Prospekte, Kataloge
Band 6: Tabellen
Band 7: Literatur zur Filmtechnik

Von den frühesten Abbildungen optischer Aufnahme- und Wiedergabegeräte über die Vorgeschichte und die Frühzeit des Kinos bis zur Gegenwart
werden alle erreichbaren Zeugnisse, Geräte, Apparate, Maschinen und Dokumente erfaßt.
In den vorgesehenen Bänden des Registers wird die gesamte Entwicklung der Kinematographie in ihrer Vielfalt sichtbar.
Die Entwicklung optischer und mechanischer Technologien und ihre Erscheinungsformen in den verschiedenen Epochen vermitteln ein Bild der Erfindungsgabe und der Möglichkeiten begabter Techniker, sowohl im Amateurfilm als auch im professionellen Bereich.
Durch die Reihung und Gegenüberstellung kompletter Baureihen mit ihren Konstruktionsmerkmalen ebenso wie durch die Veröffentlichung von Firmengeschichten, Prospekten, seltenen Bedienungsanleitungen, Katalogen usw. ist das Register ein fundiertes, unentbehrliches Nachschlagewerk nicht nur für Sammler, sondern für alle Interessenten der Kinematographie.
Grundlage des Registers und der Ergänzungsbände sind die Bestände und Neuerwerbungen des Deutschen Filmmuseums,
ergänzt durch die Bestände anderer deutscher und internationaler Sammlungen.
Die übersichtliche Systematik des Registers ist abgestimmt auf die Forschungsarbeit des Deutschen Filmmuseums.

Jeder Gegenstand wird dabei mit seinen Daten in Registerform und durch Abbildungen vorgestellt.
Die Gestaltung der Bände macht sie international benutzbar.
Interessenten können sich durch eine
Probeseite davon überzeugen, die gerne zugesandt wird.

Der Band 1 erscheint demnächst.
Er kostet bei Subskription bis zum 30.4.1981 DM 95,–
(zuzüglich Porto, Verpackung und Nachnahme),
danach DM 125,–.

Deutsches Filmmuseum

Saalgasse 19

6000 Frankfurt am Main 1